Fik Meijer

De oudheid is nog niet voorbij

Athenaeum—Polak & Van Gennep
Amsterdam 2007

Athenaeum—Polak & Van Gennep
Singel 262, 1016 AC Amsterdam

Omslag Anneke Germers
Omslagillustratie Caesar's Palace © Zigy Kaluzny / Getty Images
Foto auteur © Sake Elzinga
Boekverzorging Hannie Pijnappels

ISBN 978 90 253 6338 3/NUR 683
www.boekboek.nl
www.klassieken.nl

De oudheid is nog niet voorbij

Voor Cees

Inhoud

Inleiding

Op 1 december 1513 schrijft Niccolò Machiavelli een openhartige brief aan zijn vriend Francesco Vettori. Hij vertelt daarin hoe hij zich 's avonds na gedane arbeid en na een praatje in de dorpsherberg terugtrekt in zijn studeerkamer. Gekleed in een koninklijk, rijk gewaad treedt hij daar binnen in de wereld van de grote mannen van de oudheid, door wie hij gastvrij wordt ontvangen. Hij praat met hen en verbeeldt zich dat hij antwoord krijgt op zijn vragen. Al die tijd vergeet hij zijn zorgen en kent hij geen angst voor de dood. Voor Machiavelli waren de auteurs van de oudheid nog springlevend. Zij waren zijn grote inspiratiebron.

Machiavelli was niet de enige die er zo over dacht. Ook velen na hem beschouwden uitspraken van Griekse en Romeinse auteurs als 'waarheden' en stelden ze aan anderen ten voorbeeld. Toen in de negentiende eeuw de klassieke kunst, vormgegeven in monumentale bouwwerken, sculpturen, reliëfs en vazen, in beeld kwam, werd de oudheid weliswaar complexer, maar het beeld van een ideale droomwereld bleef intact. Men zag de Grieken en Romeinen als de grondleggers van de Europese beschaving en hun hoogstaande prestaties op politiek, literair en cultureel terrein werden alom geprezen.

De laatste vijftig jaar is daar verandering in gekomen, in die zin dat ook de minder verheven kanten van de klassieke beschaving in de belangstelling zijn komen te staan. Niemand zal nog beweren dat de maatschappij van de Grieken en die van de Romeinen op geen enkele manier vergeleken kunnen worden met moderne samenlevingen. De ouden leefden weliswaar in een overwegend agrarische omgeving, maar ze worstelden met een aantal van dezelfde problemen als wij en hadden het even moeilijk om daar passende antwoorden op te vinden.

In dit boek wil ik inzicht bieden in de leefwereld van de ouden, niet in een aaneengesloten geschiedenis, maar in afzonderlijke verhalen die telkens een ander aspect van de oudheid belichten. Ik wil de lezer laten zien dat de oudheid 'moderner' is dan vaak wordt gedacht en dat de verschillen met onze samenleving vooral te verklaren zijn uit andere leefomstandigheden en omgevingsfactoren. Ik behandel zeer uiteenlopende onderwerpen, variërend van 'betaalde liefde' en 'rijke Romeinen' tot Themistocles' verdriet en Ovidius' heimwee. Ook tegendraadse figuren als Drimacus en Jugurtha, een vleier als Plinius de Jongere en de reisschrijvers Herodotus en Pausanias komen aan bod. Soms maak ik een expliciete vergelijking tussen de oudheid en het heden, zoals in de verhandelingen over martelaren uit vrije wil, een waardige oude dag en moderne machthebbers die zich als nieuwe Romeinen presenteren, een andere keer wil ik de lezer gewoon informeren over onderwerpen die mij na aan het hart liggen. Het raadsel van de trireme, de ondergeschoven positie van duikers in de oudheid en de verloren schepen van Nemi zijn voorbeelden daarvan.

Een aantal verhalen is eerder gepubliceerd in de bundels *De Oudheid van opzij* (1997) en *Oud nieuws* (2001), in NRC *Handelsblad* en *Spiegel Historiael*. Die artikelen zijn voor dit boek omgewerkt, uitgebreid en opnieuw geredigeerd. Achter in dit boek heb ik aangegeven waar de oorspronkelijke versie van de respectievelijke artikelen is verschenen. De meeste bijdragen zijn speciaal voor deze bundel geschreven. Hoewel er tussen sommige verhalen een samenhang te ontdekken is, kunnen ze volledig los van elkaar worden gelezen.

Ik wil uitgever Mark Pieters van Athenaeum—Polak & Van Gennep bedanken, omdat hij mijn idee voor een verhalenbundel over de oudheid enthousiast heeft gesteund. Redacteur

Frits van der Meij ben ik dankbaar voor de stimulerende wijze waarop hij mij geholpen heeft bij de selectie en ordening van de verhalen. Mijn speciale dank gaat uit naar Rob Zweedijk, die de tekst minutieus heeft doorgelezen en enkele goede inhoudelijke suggesties heeft gedaan.

Zonder goden geen spelen

Iedere vier jaar worden er Olympische Spelen gehouden, telkens in een ander land. De eerstvolgende Spelen in 2008 in Peking. Meer dan twaalfduizend atleten uit ruim tweehonderd landen zullen strijden om de hoogste sportieve eer, gadegeslagen door tienduizenden toeschouwers en miljoenen televisiekijkers. Wederom zullen winst en verlies, eeuwige roem en diepe ontgoocheling, intense vreugde en pijnlijk verlies dicht bij elkaar liggen. Het is nooit anders geweest op het grootste moderne sportfestival. Alle Spelen, vanaf de eerste in 1896 in Athene, hebben hun eigen succesverhalen. Maar hoe mooi de gedramatiseerde hedendaagse vertellingen over heroïek of ontluistering ook zijn gecomponeerd, ze steken schril af bij de mythen die zijn geweven rond de oude Olympische Spelen die gedurende meer dan een millennium om de vier jaar de gemoederen in Griekenland bezighielden en al het andere naar de achtergrond drongen. In het leven van de Grieken waren de Spelen een ijkpunt. Ze vormden een uitdrukking van het gevoel van onderlinge verbondenheid. De plaats van handeling was altijd dezelfde: Olympia, in de landstreek Elis in het noordwesten van de Peloponnesus.

Grote winnaars verwierven een bijna goddelijke status. Het paste in de sfeer van de Spelen, waar de mensen niet om de goden heen konden. In die ontmoeting ligt het wezenlijke verschil tussen de oude en de nieuwe Spelen. Bij de moderne Spelen worden goden door atleten aangeroepen om hen bij te staan in hun strijd, in Olympia waren de goden altijd vanzelfsprekend aanwezig.

Het begin van de Olympische Spelen is in nevelen gehuld. We kunnen alleen maar zeggen dat het in onheuglijke tijden was die zich niet in jaartallen laten vastleggen. Misschien vonden de eerste wedstrijden plaats toen de mensen de oergod Kronos wilden eren als de heerser in de hemel. Of was het ter ere van Zeus, die zijn vader Kronos de heerschappij had ontnomen? Het is ook niet uit te sluiten dat de halfgod Heracles na het volbrengen van een van zijn twaalf werken, de reiniging van de augiasstal, in Olympia Spelen voor Zeus organiseerde. Er wordt ook wel beweerd dat Pelops, nadat hij Oinomaos, de koning van het nabijgelegen Pisa, met list en bedrog had overwonnen in een wagenrace en daarmee diens beeldschone dochter Hippodameia als vrouw had verworven, de eerste spelen heeft georganiseerd. Hoe het ook zij, latere schrijvers gewagen van Spelen in 776 v. Chr. Erg indrukwekkend zal het toen nog niet zijn geweest. Er was alleen een stadionloop van 192 meter, die werd gewonnen door Koroibos, een kok uit Elis. Een echt stadion ontbrak, de lange sprint werd gehouden op een open vlakte. Een naburig heiligdom van Zeus wees deelnemers en toeschouwers de weg er naar toe. Pas in de eeuwen daarna kreeg Olympia geleidelijk een ander aanzien. Rond de nieuwe tempel van Zeus verrezen een echt stadion, een paardenrenbaan, een gymnasium en gastenverblijven.

Ruim duizend jaar bleef Olympia het schitterende decor van het grootste sportfestijn van de klassieke oudheid. Na de verovering van Griekenland door de Romeinen werd alles nog mooier, nog indrukwekkender. Een aantal Romeinse keizers was zo onder de indruk van wat er in Olympia gebeurde, dat ze niet alleen als toeschouwer aanwezig waren, maar ook geld schonken voor de bouw van tempels en accommodaties om hun naam duurzaam met Olympia te verbinden. In de derde eeuw na Christus ontkwam ook Olympia niet aan de politieke en economische crisis die het Romeinse rijk teisterde. De organisatoren hadden minder geld tot hun beschikking, met als gevolg dat het stadion, de Zeustempel en de hotelvoorzieningen werden verwaarloosd en het aanzien van de Spelen daalde. Tot dan toe stonden de Olympische Spelen bovenaan de hiërarchie van grote kransspelen. Nu was het voor topatleten niet meer vanzelfsprekend om Olympia bovenaan hun programma te plaatsen. Ze kozen voor prijsspelen, waarin ze een geldprijs in plaats van een olijfkrans konden verdienen. De genadeklap voor de Olympische Spelen kwam pas veel later, in 393, toen de christelijke keizer Theodosius een edict uitvaardigde waarin alle heidense cultusvieringen in het Romeinse rijk werden verboden. Spelen ter ere van Zeus waren niet verenigbaar met het geloof in de ene ware God. De Olympische Spelen behoorden tot de voltooid verleden tijd. Ondanks aanvallen van christelijke fanatici bleven de tempelgebouwen en het stadion nog geruime tijd overeind, als stille getuigen van een groots verleden, totdat aardbevingen en overstromingen in de zesde en zevende eeuw alles overhoopgooiden en de natuur bezit nam van het terrein. De rivieren Kladeos en Alpheios traden buiten hun oevers en zetten dikke lagen modder af. In de volgende eeuwen ging de onttakeling door, maar er bleef nog genoeg overeind staan. Die ruïnes wezen archeologen de weg naar Olympia. Vanaf de negentiende eeuw hebben zij daar het nodige blootgelegd, te weinig om een compleet beeld te kunnen bieden van het oude Olympia, maar voldoende om ons te laten zien hoe in Olympia sport en religie op een unieke manier samengingen.

Het voorspel

De Olympische Spelen werden om de vier jaar gehouden. In het vroege voorjaar van ieder vijfde jaar vielen velen in de Griekse wereld ten prooi aan wat je gerust het olympische virus mag noemen. Als de speciale afgezanten van het olympisch comité, duidelijk herkenbaar aan een krans van olijftakken en een speciale herautstaf, zich bij de poorten van hun steden vervoegden om het begin van het olympisch jaar af te kondigen, werden alle Grieken er weer eens van doordrongen dat ze ondanks hun politieke geschillen religieus en cultureel met elkaar waren verbonden.

Alles stond vanaf dat moment in het teken van de naderende Spelen. De atleten werden door hun medeburgers gekoesterd, want ze zouden niet slechts voor eigen eer strijden, de reputatie van hun stad stond op het spel. En dan was het moment van vertrek daar. Na een periode van harde, intensieve training scheepten ze zich in, uitgewuifd door hun stadgenoten. Ze wisten dat ze in Elis in een vredige sfeer de competitie zouden aangaan, want in de hele regio was een godsvrede van kracht: alle oorlogsgeweld was voor een periode van drie maanden uitgebannen. Niemand zou het wagen de atleten iets aan te doen, want Zeus, de god der wrake, stond garant voor hun veiligheid.

Een maand voor aanvang van de Spelen arriveerden ze allemaal in Elis. Wie zich te laat meldde werd van deelname uitgesloten, tenzij hij een geldige reden had. Niet-Grieken werden geweerd, want de Olympische Spelen waren een *Grieks* festival. Wie het toch waagde de voorschriften te negeren werd gestraft.

De laatste weken vóór de officiële opening liep de spanning flink op. Alle atleten (en hun trainers) schaafden in Elis aan hun vorm. Meer nog bespiedden ze elkaar en probeerden het trainingsprogramma en de trucs van hun rivalen te doorgronden. Officials zagen er nauwlettend op toe dat alles ordelijk en sportief verliep. Ze schijnen zelfs de diëten van de atleten te hebben gecontroleerd op overmatig vleesgebruik. Of dat verhaal op waarheid berust of aan de fantasie van schrijvers is ontsproten doet er niet zoveel toe. Het feit alleen al dat het in de bronnen is opgenomen geeft aan dat alles was gericht op een eerlijke competitie. Niets werd aan het toeval overgelaten.

De olympische eed

In de vroege ochtend van de eerste dag van de Spelen was het vlak buiten Olympia een drukte van jewelste. Duizenden mensen stonden langs de weg naar het stadion om een glimp op te vangen van de bonte processie van officials, scheidsrechters, hardlopers, worstelaars, boksers, ruiters en wagenmenners. Aan de rand van het tempelcomplex van Zeus stelden alle deelnemers zich in lange rijen op en wachtten op het moment waarop ze het *bouleuterion*, het gebouw waarin de olympische commissie zetelde, mochten binnengaan om de olympische eed af te leggen. In het aanzicht van een beeld van Zeus Horkios ('Zeus van de eden') zwoeren ze dat ze niets zouden doen wat tegen de regels van de Spelen indruiste. Ze verklaarden dat ze minstens tien maanden in training waren en er alles aan hadden gedaan om op niveau de competitie met andere atleten aan te kunnen gaan. De scheidsrechters beloofden dat ze naar eer en geweten de wedstrijden zouden jureren.

Hoe streng Zeus ook was, valsspelers waren er toen ook al. We kennen er enkelen bij naam. Eupolos uit Thessalië was in 384 v.Chr. de eerste die als bedrieger werd geboekstaafd. Hij was een goede vuistvechter, maar schrik beving hem bij het zien van zijn tegenstanders. Hij kocht ze om, ook Phormion uit Halicarnassus, die zijn olympische titel verdedigde. De schok in Olympia was groot. Eupolos en de omgekochte atleten kregen zware geldboetes, waarmee speciale Zeusbeelden (*Zanes*) werden opgericht als een waarschuwing aan andere atleten om de regels te respecteren. Ze stonden aan de linkerkant vlak voor de ingang van het stadion. De atleten die zich opmaakten voor de strijd wisten zodoende wie de bedriegers waren, want hun namen stonden op de beeldensokkels die daar nu nog te zien zijn.

Een enkele keer groeide een corruptieaffaire uit tot een regelrecht schandaal. De Athener Kallippos had in 332 v.Chr. zijn concurrenten geld gegeven om hem de vijfkamp te laten winnen en zij hadden door het te accepteren hun sportieve plicht verzaakt. Allen hadden hun verdiende straf gekregen, maar de Atheners pikten het niet en stuurden een vooraanstaande politicus, Hypereides, om met de raad van Elis over kwijtschelding van de straf te praten. Die weigerde, waarop het conflict zo hoog opliep dat de Atheners de opgelegde boete weigerden te betalen en van deelname aan de Spelen afzagen (of werden uitgesloten, dat maken de bronnen niet duidelijk). Verbolgen legden de Atheners het conflict voor aan het orakel van Delphi. Maar de priesteres van Apollo weigerde een uitspraak te doen en gaf hun te verstaan dat ze eerst de boete moesten betalen. Ze konden niet anders dan het advies opvolgen. Want Zeus en Apollo tegelijk trotseren was zelfs voor de hooghartige Atheners te veel. Het was overigens bepaald niet de laatste keer dat de jury moest ingrijpen. Vals spel, list en bedrog kwamen voor zolang de Spelen bleven bestaan.

Het programma

De eerste Olympische Spelen, met alleen de stadionloop van 192 meter, duurden niet langer dan een dag. Vijftig jaar lang veranderde er niets, maar nadat in 724 v.Chr. de dubbele stadionloop aan het programma was toegevoegd, gingen de organisatoren gericht zoeken naar verdere uitbreidingen. Vier jaar later werd de langeafstandsloop, waarbij de atleten meer dan tien keer heen en weer liepen, als nieuw onderdeel toegevoegd. In 708 v.Chr. werd er voor het eerst geworsteld en werd de vijfkamp (discuswerpen, speerwerpen, verspringen, hardlopen en worstelen) geïntroduceerd. Twintig jaar later werden bokswedstrijden op het programma gezet en kort daarop, in 680 v.Chr., wagenrennen. Veertig jaar later kwamen er paardenraces bij en het *pankration*, een combinatie van worstelen en boksen. In de jaren daarna werden er nog wel nieuwe nummers geprogrammeerd, maar alleen de in 520 v.Chr. voor het eerst gehouden *hoplitodromos*, een hardloopwedstrijd voor soldaten in volledige wapenuitrusting, werd een vast onderdeel van het programma.

De Olympische Spelen duurden vanaf toen vermoedelijk zes dagen, maar anders dan je zou verwachten waren de verschillende wedstrijdonderdelen geconcentreerd op slechts drie dagen. De overige hadden een andere bestemming. Niemand, atleet of supporter, verloor namelijk ooit uit het oog dat de Spelen ter ere van Zeus werden gehouden. De eerste dag had met de plechtige processie, de eed van de atleten en een strijd tussen trompetters een ceremonieel karakter. Op de tweede dag werden er wedstrijden gehouden voor jonge atleten die nog niet toe waren aan het grote werk, maar van wie verwacht werd dat ze in de toekomst tot olympische kampioenen zouden uitgroeien. Een dag later begonnen de grote wedstrijden en werden in de ochtend de hippische nummers, wagenrennen en paardenraces, afgewerkt op de grote renbaan, zuidoostelijk van het grote stadion. In de middag verplaatsten de toeschouwers zich naar het stadion om getuige te zijn van de eerste onderdelen van de vijfkamp. Laat in de avond werd er een groot offer gebracht voor de mythologische held Pelops. De vierde dag was geheel gereserveerd voor Zeus, met op het grote altaar een offer van de gastheren uit Elis. Honderd stieren gingen daar in rook op. Daarna was er een grote feestmaaltijd voor officials en atleten. Pas op de vijfde dag kwamen de atleten en vechtsporters in actie. Eerst werden de loopnummers en de vijfkamp afgewerkt, vervolgens de vechtsporten en ten slotte de soldatenloop. Op de zesde dag waren er geen wedstrijden meer, dan vond de huldiging van de atleten plaats. In een lange stoet trokken de winnaars naar de tempel van Zeus, waar ze hun prijs, een krans van takken van de heilige olijfboom, kregen uitgereikt. Dat was het officiële einde van de Spelen. Daarna barstte er een groot feest los.

De wagenrennen op de derde dag vormden letterlijk het koningsnummer. Koningen, tirannen en vermogende aristocraten verschenen ofwel zelf met hun vierspannen aan de start of huurden menners in die ze een grotere kans op succes toedichtten. Als eigenaar van een winnend span kregen zij in ieder geval de krans van olijftakken. Hiëron, de tiran van Syracuse, zegevierde drie keer en is daarmee de meest succesvolle van allemaal. Toch is niet hij maar de Athener Alcibiades de geschiedenis in gegaan als de opvallendste winnaar van de wagenrennen.

Alcibiades (450-404 v.Chr.) was in zijn tijd een spraakmakende figuur. Hij kwam uit een aristocratische familie en viel op door zijn knappe voorkomen, zijn erotiserende uitstraling, die effect had op zowel mannen als vrouwen, zijn intelligentie, zijn radicale uitspraken, zijn spectaculaire publieke optredens en zijn opportunistische politiek. Hij schuwde geen middel om zijn doelen te bereiken. Zijn deelname aan de Olympische Spelen van 416 v.Chr. was duidelijk niet alleen sportief gemotiveerd. Politiek en sport werden door hem op een bijzondere manier met elkaar vermengd.

Athene was in die tijd met Sparta verwikkeld in de uitputtende Peloponnesische Oorlog, die in 431 v.Chr. was begonnen. De stad had het moeilijk en in Griekenland dacht iedereen dat de door de krijgshandelingen verarmde Atheners niet in staat zouden zijn op de Olympische Spelen een rol van betekenis voor zich op te eisen in de prestigieuze wagenrennen. Maar iedereen rekende buiten Alcibiades, die in dat jaar een van de tien strategen in zijn vaderstad was. Hij schreef zich in Olympia als deelnemer in voor de vierspanraces met maar liefst zeven wagens, een ongehoord aantal. Zijn hoop ging in vervulling: een van zijn wagens ging als eerste over de finish, en ook de tweede plaats was voor een wagen uit zijn renstal. Een vierde plaats completeerde het succes. Alle eer viel toe aan

Alcibiades op een mozaïek in Sparta uit het einde van de derde eeuw
(foto Peter Biemans)

hem, de eigenaar van de paarden. Om iedereen in zijn succes te laten delen organiseerde hij diezelfde avond een groot feestmaal.

Bij zijn terugkeer in Athene werd Alcibiades als een held onthaald. Iedereen juichte hem toe, omdat hij het Atheense moreel weer wat had opgevijzeld. In een toespraak voor de volksvergadering benadrukte Alcibiades dat hij in Olympia vooral de eer van Athene had verdedigd. Dat kwam zijn politieke carrière zeer ten goede. Zijn aanzien groeide en het enthousiaste volk gaf hem een jaar later in een speciale volksvergadering het opperbevel over een grote expeditie naar Sicilië. Haat en jaloezie laaiden tegelijkertijd op bij zijn politieke tegenstanders. Was het zijn olympische triomf die hen afgunstig maakte of was zijn ster te snel gerezen? De geschiedschrijvers zwijgen over hun motieven om hem in diskrediet te brengen, ze vertellen alleen maar dat zijn concurrenten iedere gelegenheid daartoe aangrepen. Ze vonden een aanleiding in een geruchtmakend incident in de nacht van 6 op 7 juni 415, toen onbekenden de Hermesbeelden in de stad hadden stukgeslagen. Alcibiades werd ervan beschuldigd dat hij daarbij betrokken was geweest en werd uit zijn functie ontheven. Met onmiddellijke ingang ontnam men hem bovendien het commando over de vloot die naar Sicilië zou uitvaren. Alcibiades wist dat hij gevangengenomen zou worden of met verbanning zou worden gestraft en nam de wijk naar aartsvijand Sparta, dat hij enige tijd met raad en daad terzijde stond, totdat hij verstrikt raakte in een liefdesaffaire met de vrouw van een van de koningen en opnieuw moest vluchten. Omdat het Athene in de jaren van zijn afwezigheid niet goed was vergaan, mocht hij terugkeren om zijn vaderstad opnieuw in de oorlog te leiden, maar opnieuw kregen zijn vijanden het na een Atheense nederlaag, waar Alcibiades overigens niet verantwoordelijk voor was, voor elkaar dat hij verbannen werd. Hij vluchtte ditmaal naar Perzië, waar hij werd gedood. Een triest einde van een groot olympisch kampioen.

Wie Alcibiades wil zien, moet naar het kleine museum in Sparta. Daar hangt een Romeins mozaïek uit het einde van de derde eeuw n.Chr., met daarop de beeltenis van Alcibiades. Hij kijkt ons aan met een ronduit spottende blik. Het is een fraaie portrettering van een man, die met zijn successen op de Olympische Spelen de weg plaveide voor een indrukwekkende carrière, die hem zowel bewondering als haat en afgunst heeft opgeleverd.

De Grieken onderscheidden zich op vele manieren van de hen omringende volkeren, die ze denigrerend 'barbaren' noemden. De tegenstellingen werden onder meer zichtbaar in de manier waarop ze aandacht besteedden aan de schoonheid van hun lichaam. Terwijl buurvolkeren het lichaam zoveel mogelijk bedekt hielden, waren zij er juist trots op het in sportwedstrijden in al zijn schoonheid te kunnen laten zien. Aristoteles wist het in de vierde eeuw v.Chr. zeker: een mooie gladde gebronsde huid was een waar teken van adeldom. In zijn tijd waren naakte atleten niets bijzonders meer. Maar er was een tijd geweest dat het anders was, dat de atleten delen van hun lichaam bedekten. Wanneer kwam de omslag? In ieder geval vóór het midden van de vijfde eeuw, toen de totale naaktheid van atleten in de olympische arena al heel gewoon was. Volgens de Atheense geschiedschrijver Thucydides (ca. 458-ca. 410 v.Chr.) waren de Spartanen de eersten die zonder schaamgordel en dus geheel naakt het stadion van Olympia betraden. De verandering zou kort voor zijn tijd hebben plaatsgevonden; een nadere toelichting geeft hij niet.

In de tweede eeuw n.Chr. is Pausanias iets duidelijker. Hij vermeldt de naam van de eerste naakte hardloper: de olympische winnaar Orsippos uit Megara. Tijdens een bezoek aan diens graf werd hem verteld dat Orsippos als eerste zonder enig kledingstuk een race had voltooid. Aan de start had hij zijn lendendoek nog om gehad, maar tijdens het lopen verloor hij die. Opzettelijk of per ongeluk? Pausanias is van mening dat Orsippos zijn lendendoek met opzet liet vallen omdat hij daardoor beweeglijker en dus sneller was. Het zou hem de zege hebben opgeleverd. Een andere versie van hetzelfde verhaal werd in de twaalfde eeuw opgetekend door de Byzantijnse geleerde Eusthatios. Hij meldt dat Orsippos bij de veertiende Olympische Spelen, in 720 v.Chr., door zijn lendendoek zo ernstig in zijn bewegingen werd gehinderd dat hij struikelde en de dood vond. Sindsdien zouden de autoriteiten hebben besloten dat atleten naakt aan de startlijn moesten verschijnen. Hoe mooi dit verhaal ook is, het is bezijden de waarheid. Op vaasschilderingen uit het einde van de zesde eeuw v.Chr. zien we nog altijd atleten met een lendendoek. De verandering kan dus op zijn vroegst in het begin van de vijfde eeuw hebben plaatsgevonden, toen de Grieken in hun aversie tegen de barbaren hun identiteit wilden benadrukken en de schoonheidscultus van het lichaam daarvoor aangrepen.

Een recordsprong

Moderne sporters zijn gek op records. Hoger, verder en sneller is het devies. De namen van de recordhouders worden in de boeken geregistreerd, totdat ze er weer uit verdwijnen omdat anderen hun prestatie verbeteren. In de competitieve wereld van de oude Grieken zal men zich ook wel eens hebben afgevraagd wie de snelste hardloper, de beste discuswerper of de sterkste bokser aller tijden was. Maar recordboeken uit die tijd ontbreken en het is maar de vraag of men iets heeft gehad dat daarop leek. Voor de loopnummers was het bij gebrek aan een tijdwaarneming sowieso al onmogelijk om deelnemers van verschillende wedstrijden met elkaar te vergelijken, maar ook van de technische nummers speerwerpen, discuswerpen en verspringen, waarvoor de uitslagen wel goed meetbaar waren, zijn er nauwelijks gegevens over recordafstanden overgeleverd. Het ging de oude Grieken klaarblijkelijk toch vooral om de overwinning, de vergelijking met beroemde voorgangers werd alleen gemaakt in verhalen die doorspekt waren met een grote dosis fantasie.

Soms duikt er in de bronnen een discuswerper of verspringer op die een afstand overbrugde die een schrijver wel móést vermelden. En als we dan toch willen spreken van een recordhouder in de technische nummers, dan komt de eer toe aan

Marmeren kopie van de beroemde discuswerper van Myron
uit 450 v.Chr.

Phayllos uit Kroton. Hij zou in 480 v.Chr. de discus ruim dertig meter ver hebben geworpen. Geen tot de verbeelding sprekende misschien, met in gedachten de vijfenzestig tot zeventig meter die nu door veel discuswerpers wordt gehaald. De techniek van de oude atleten was anders: ze draaiden minder met het lichaam dan de huidige topsporters en hun loden discus van twee tot zes kilo met een doorsnee van zeventien tot vierendertig centimeter lag niet zo gemakkelijk in de hand. En van prestatieverhogende hormoonpreparaten had nog niemand gehoord. Leggen we de dertig meter van Phayllos naast de 39,28 meter van Martin Sheridan, de winnaar van het discuswerpen tijdens de eerste Olympische Spelen van 1896, dan is zijn prestatie zo gek nog niet.

Als er melding wordt gemaakt van afstanden waarbij huidige records verbleken, dan moet er iets aan de hand zijn. Er zijn de afgelopen vijftig jaar maar heel weinig atleten geweest die verder dan 8,85 meter hebben gesprongen, maar in de oude bronnen zijn sprongen van verder dan zestien meter opgetekend. Die afstanden worden nog ongeloofwaardiger wanneer we op vazen verspringers zien met in beide handen een halter van 2 tot 4,5 kilo. Het kan zijn dat de in de bronnen genoemde afstanden ontsproten zijn aan de fantasie van schrijvers, maar het is ook mogelijk dat de regels van het verspringen heel anders waren dan nu en dat de atleten uit stand vijf sprongen achter elkaar maakten in een speciale springbak van 50 voet (ongeveer 14,80 meter). De al genoemde Phayllos uit Kroton ging daar met zijn laatste sprong ruimschoots overheen. Hij sprong vijf voet verder, kwam buiten de springbak neer en bereikte een afstand van 16,40 meter. Hij brak daarbij zijn been, maar door zijn opvallende prestatie is hij wel in de recordboeken terechtgekomen.

De oudheid misbruikt

Een van de meest tragische deelnemers aan de moderne Olympische Spelen is misschien wel een Amerikaanse atleet met indianenbloed in de aderen, James Thorpe. Hij werd het slachtoffer van wat je een verkeerde interpretatie van de oud-Griekse ideologie zou kunnen noemen. In 1912 won Thorpe in Stockholm zowel de vijf- als de tienkamp, maar een half jaar later werd hij uit de uitslagen geschrapt vanwege een 'onvergeeflijke misdaad': hij had twee zomers in een van de Amerikaanse honkbalcompetities gespeeld, voor vijftien dollar per week. Hij was dus geen echte amateur! De arme Thorpe wist, toen hem de onheilstijding werd gebracht, niets anders uit te brengen dan dat hij het allemaal niet had geweten. Zeventig jaar bleef zijn naam uit de olympische boeken. Pas in 1983 werd deze olympische blunder rechtgezet en werd hij in ere hersteld. Thorpe maakte dat niet meer mee. Hij was lang daarvoor als een verpauperde alcoholist in eenzaamheid gestorven.

De voorzitter van het eerste moderne olympisch comité, baron Pierre de Coubertin, en zijn latere opvolger Avery Brundage hebben altijd volgehouden dat Thorpe de Griekse gedachte van puur amateurisme aan zijn laars had gelapt. Ze deden het voorkomen alsof in Olympia alleen liefhebbers in actie kwamen, maar óf ze kenden hun klassieken niet óf ze probeerden die welbewust naar hun hand te zetten. Misschien dat in de eerste decennia van de oude Olympische Spelen enkele uit aristocratische kring afkomstige deelnemers pure amateurs waren, maar in de eeuwen daarna veranderde dat grondig. Net als nu waren de deelnemers afkomstig uit alle rangen en standen van de bevolking. Ze streden weliswaar om een krans van olijfbladeren, maar iedereen wist dat een olympische overwinning de marktwaarde van een atleet sterk verhoogde. Soms betaalden organisatoren van lokale festivals aan olympische winnaars 10 000 drachmen startgeld uit, een enorm bedrag voor die tijd. Daarbovenop kwam dan nog het prijzengeld van enkele duizenden drachmen voor de winnaar. Bovendien was in vele Griekse steden bij wet vastgelegd dat winnaars aanspraak konden maken op geldelijke toelagen. En jonge atleten werden door de staat financieel ondersteund om in Olympia goed te presteren.

Zelfs tot vlak voor de Spelen probeerden atleten hun faam te gelde te maken. Een bokser uit Alexandrië ging daarin heel ver en moest dat met uitsluiting bekopen. Toen hij buiten de gestelde termijn van een maand in Olympia arriveerde en niet meer werd toegelaten, probeerde hij de organisatoren te vermurwen met het verhaal dat hij door slechte weersomstandigheden vertraging had opgelopen. Maar zijn tegenstanders vertelden aan de olympische commissie dat hij in Klein-Azië enkele lucratieve wedstrijden had gebokst. Hij werd van de deelnemerslijsten geschrapt en moest bovendien een boete betalen. Niet omdat hij geld had verdiend, maar omdat hij had gelogen. De ten onrechte gediskwalificeerde Thorpe zou in de oudheid als een held zijn geëerd.

Een dode winnaar

Het *pankration* was een vechtsport die het midden hield tussen worstelen en boksen. De deelnemers beheersten beide disciplines en werden beschouwd als de beste worstelaars onder de boksers en de beste boksers onder de worstelaars. Een zekere Polydamas had een zo grote faam verworven dat hij werd gezien als de reïncarnatie van de mythologische held Heracles en werd geëerd met een kolossaal beeld bij de ingang van het stadion.

Deelnemen aan dit onderdeel was niet ongevaarlijk. Praktisch alles was geoorloofd, alleen het steken met de vingers in neus, oren of ogen van de tegenstander was verboden. Sommige vechters scheerden met hun trucs langs de grenzen van de sportiviteit. Sostratos uit Sicyon, bijvoorbeeld. Hij was drievoudig olympisch winnaar en had zijn successen vooral te danken aan één speciale truc: hij greep zijn tegenstanders bij de vingers, draaide ze om en brak ze. Hij maakte zoveel slachtoffers dat velen bij het zien van die gevreesde opponent de angst om het hart sloeg. Ze gaven meteen op.

Verwoede gevechten werden er in het stadion geleverd. Van een daarvan weten we iets meer door de bijzondere afloop van de strijd. De twee kemphanen waren een onbekende reus uit Arcadië en Arrichion uit Phigaleia. Het was de finale van het jaar 564 v. Chr. Op een zeker moment waren beide vechters aan het einde van hun krachten. Stoten op het hoofd en pijnlijke grepen hadden hen gesloopt. De Arcadiër had Arrichion stevig vastgepakt en hem vervolgens in een wurgende greep genomen door met zijn ellebogen zijn keel dicht te knijpen. De trainer van Arrichion zag de dreigende nederlaag van zijn pupil aankomen maar wilde niet dat deze opgaf. Hij schreeuwde hem toe: 'Wat een mooie dood om niet op te geven in Olympia maar te sterven voor het vaderland!' In een laatste poging de nederlaag af te wenden pakte Arrichion de tenen van zijn tegenstander en draaide die om. Wat niemand verwachtte gebeurde: de Arcadiër stak zijn hand op ten teken dat hij zich overgaf. Precies op het moment waarop hij dat deed, stierf Arrichion door verstikking.

De jury ging in beraad en kende de overwinning toe aan Arrichion, tot groot enthousiasme van de toeschouwers. Zij klapten voor de dode winnaar, die overdekt met het stof van Olympia uit de arena werd gedragen. Hoe de Arcadiër door het publiek werd bejegend, verhaalt de geschiedenis niet, evenmin of hij na thuiskomst door zijn stadgenoten met hoon werd overladen.

Dood en goddelijkheid

Bij de Spelen van 492 v. Chr. gebeurde er iets dat de gemoederen nog lang heeft beziggehouden. Een bokser uit Astypaleia, Cleomedes genaamd, doodde in de finalewedstrijd van het vuistgevecht een zekere Ikkos uit Epidaurus. Hij had niets onrechtmatigs gedaan, alleen waren zijn slagen zo hard aangekomen, dat zijn tegenstander in de arena was gestorven. Er was alom grote consternatie, ook de *Hellanodikai*, de scheidsrechters die de wedstrijd gejureerd hadden, zaten met de kwestie in hun maag. Uiteindelijk besloten ze Cleomedes te diskwalificeren. De reden voor die uitsluiting gaven ze er niet bij. De arme overwinnaar werd bijkans krankzinnig over zoveel onrecht. Hij keerde naar zijn geboorteplaats terug, maar in plaats van medelijden kreeg hij slechts de hoon van zijn medeburgers over zich heen. Het werd hem allemaal teveel. Hij ging naar een school, waar op dat moment zestig kinderen waren, en trok als Samson pilaren weg, waardoor het dak van het gebouw instortte en op de kinderen viel. Ze kwamen allemaal om het leven.

De burgers wilden Cleomedes lynchen, maar hij vluchtte het heiligdom van Athene binnen en verborg zich in een kist in de tempel. Uiteindelijk werd hij gevonden, maar wat zijn belagers ook probeerden, ze konden het deksel niet lichten. Na lang wrikken braken ze de planken open, maar tot hun grote teleurstelling was Cleomedes er niet meer. Wanhoop maakte zich van hen meester en ten einde raad stuurden zij een gezantschap naar Delphi om het orakel om raad te vragen. Daar kregen ze het volgende antwoord:

> De laatste van de helden is Cleomedes uit Astypaleia;
> Eert hem met offers, daar hij niet meer sterfelijk is.

Met deze boodschap keerden de gezanten terug naar huis. Vanaf dat moment eerden de bewoners uit Astypaleia Cleomedes als een *heros*, een halfgod. Zo kreeg hij na verloop van tijd een grotere eer dan hij als atleet ooit had kunnen verwerven. Maar de prijs daarvoor was wel heel hoog.

Vrouwen in Olympia

De Olympische Spelen waren een mannenaangelegenheid. Vrouwen mochten niet deelnemen. Toch zijn ze wel in Olympia in actie gekomen, op hun eigen festival. Hun Spelen werden georganiseerd ter ere van Hera, de echtgenote van Zeus. Het programma was met slechts één onderdeel, een stadionloop van 160 meter, zeer bescheiden. De deelneemsters streden in drie leeftijdscategorieën. Ze liepen met loshangende haren, in gewaden die tot over de knieën reikten en de rechterschouder tot vlak boven de borst bloot lieten. Het waren heel vaak vrouwen uit Sparta die de overwinning behaalden. Zij probeerden hun mannen en zoons te imiteren met een bijna militair aandoend trainingsprogramma. Vrouwen uit Athene kwamen minder vaak in actie. In die stad werd een publiek optreden van vrouwen niet erg op prijs gesteld.

Sommige vrouwen konden de verleiding om hun man of zoon tijdens de Spelen te zien winnen niet weerstaan en mengden zich in mannenkleren onder de toeschouwers. Eén keer werd dat ontdekt. Kallipateira, afkomstig uit een Rhodische familie met vele olympische winnaars, wilde aanwezig zijn bij de hardloopwedstrijd voor jongens op de tweede dag. Zij deed zich voor als trainer van haar zoon en zat in het speciaal voor begeleiders gereserveerde vak. Na de overwinning van haar zoon kon ze zich niet meer inhouden. Ze sprong over de hekken, maar haar kleed bleef haken en scheurde open. Toen zij op de renbaan haar zoon omarmde, kon iedereeen zien dat zij een vrouw was. Even was de jury in verwarring, maar ze toonde zich begripvol en strafte Kallipateira niet, uit eerbied voor haar vader, broers en zoon die allemaal in Olympia hadden gezegevierd. Voortaan moesten de trainers de wedstrijden naakt bijwonen.

Toch zijn er vrouwen geweest die de hoofdprijs in de wacht hebben gesleept. Niet doordat zij zelf in actie kwamen, maar als eigenares van een wagenspan. In de wagenraces werd de olijfkrans namelijk niet toegekend aan de winnende menner, maar aan de eigenaar van het zegevierende span. In 396 v.Chr. mocht Kyniska, de dochter van een Spartaanse koning, de prijs in ontvangst nemen voor de triomf van haar veulenspan. De Atheners en andere traditioneel ingestelde Grieken vonden het maar niets, maar ze konden er weinig aan doen. En het werd nog erger, Kyniska kreeg van de kamprechters zelfs de mogelijkheid haar triomf vast te leggen in een standbeeld in Olympia, met op de basis daarvan een opschrift dat bezoekers eraan moest herinneren dat zij de eerste Griekse vrouw was die de olijfkrans had verworven.

Eeuwige roem

De meeste winnaars van de oude Olympische Spelen zijn na een kortstondige bekendheid de weg naar de anonimiteit gegaan. Een inscriptie op een zuil in hun geboortestad of een summiere vermelding door een oude geschiedschrijver is het enige wat aan hun successen herinnert. Slechts voor enkele winnaars is het lot gunstiger geweest. Zij leven voort in de geschiedenisboeken vanwege hun prestaties, maar meer nog door de mythen die om hen werden geweven. Milon uit Kroton spant de kroon. Dat hij tussen 540 en 512 aan zeven Olympiaden deelnam en zes keer het onderdeel worstelen won, was op zich al reden genoeg om hem in herinnering te houden als een van de grootste atleten uit de oudheid. Maar hij is de vergetelheid ontstegen doordat in de verslaglegging van zijn prestaties feit en fictie, fantasie en verbeeldingskracht onscheidbaar door elkaar zijn gaan lopen.

Over geen atleet zijn zo veel sterke verhalen in omloop gebracht als over Milon. Hij zou zijn grote kracht hebben ontleend aan een dagelijks dieet van twintig pond vlees, eenzelfde hoeveelheid brood en achttien grote bekers wijn. Ooit zou hij na een overwinning in Olympia een rund op zijn schouders door het stadion hebben rondgedragen en het dier vervolgens in zijn eentje hebben opgegeten. Herhaaldelijk leverde hij het bewijs van zijn ongeëvenaarde kracht. Wijdverbreid was de anekdote dat hij een om zijn hoofd gebonden koord deed knappen door alleen maar de aderen op zijn voorhoofd te doen zwellen. Ook was hij in staat een granaatappel zo stevig in zijn hand te houden dat niemand die eruit kon wrikken. Nog opmerkelijker was dat de appel gaaf bleef. En hij deed nog meer. Hij ging op een met olie ingesmeerde discus staan en daagde iedereen uit hem eraf te duwen. Niemand slaagde daarin. Een ander staaltje van zijn kracht was dat hij zijn rechterbovenarm stijf tegen zijn lichaam gekneld hield en zijn onderarm naar voren uitstrekte, met zijn vingers tegen elkaar. Alleen zijn duim stond omhoog. Hoe hard men ook trok en duwde, niemand kon de duim van zijn plaats krijgen.

Zijn levenseinde was minstens zo opvallend. Toen hij op zekere dag een dode boom zag waar wiggen in zaten waarmee spleten in de boom waren geslagen, stak hij zijn hand in een van de gaten om de boom verder te splijten. De wiggen vielen eruit, het hout trok samen en zijn hand kwam klem te zitten. Hij kon geen kant op en werd door hongerige wolven verscheurd. Waarheid of verdichting? Het doet er niet zoveel toe, het is een einde dat past bij zijn leven.

De wraak van een beeld

Ook Theagenes uit Thasos was een echte krachtpatser. Al op zeer jeugdige leeftijd gaf hij er blijk van over reuzenkracht te beschikken. Toen hij nog maar negen jaar oud was had hij een reusachtig godsbeeld uit een school meegenomen. De woede van zijn medeburgers over die daad was zo groot dat ze hem wilden doden, maar een oude man weerhield hen daarvan. Hij beval de jongen het beeld terug te brengen. De kwaadheid van de mensen sloeg om in bewondering toen die het zware beeld op zijn plaats terugzette. In de volgende jaren groeide hij uit tot een gerenommeerd atleet die zijn mannetje stond bij het boksen en het *pankration*.

Twee van deze uitputtende disciplines op een en dezelfde dag was zelfs voor een geweldenaar als Theagenes te veel. In 480 v.Chr. bokste hij in de finale tegen Euthymos uit Lokri. Het spannende gevecht bracht de toeschouwers in extase en de zegevierende Theagenes werd beloond met een klaterend applaus. Maar het gevecht had zo veel van hem gevergd (hij was waarschijnlijk niet ongehavend uit de strijd gekomen) dat hij zich later op de dag afmeldde voor de finale van het pankration. Zonder strijd werd Dromeus uit Mantineia tot winnaar uitgeroepen. Het publiek liet weer van zich horen, nu met afkeurend gejoel. De jury bestrafte Theagenes met een uitzonderlijk hoge boete, te weten twee talenten, één talent voor Zeus en één voor de verslagen Euthymos. Dat laatste was opmerkelijk. De argumentatie luidde dat Theagenes alleen maar tegen Euthymos in actie was gekomen vanuit een onberedeneerde jaloezie. Hij gunde hem de overwinning niet.

Vermoedelijk speelde er meer bij deze zware bestraffing. Het was namelijk de tijd van de Perzische Oorlogen. Thasos, de moederstad van Theagenes, had zich aan de Perzen overgegeven. De anti-Perzische olympische commissie beschouwde de straf aan Theagenes wellicht als een goed middel om de Thasiërs te wijzen op hun laffe houding. Vier jaar later nam Theagenes wraak en won hij het pankration.

In Thasos werd Theagenes als een held vereerd. Op de markt werd een groot standbeeld voor hem opgericht. Ook dat beeld bleef niet onbesproken. Er was een man die Theagenes hartgrondig had gehaat en na zijn dood zijn kans schoon zag de reputatie van de vuistvechter te besmeuren. Nacht na nacht sloeg hij met een zweep in op het beeld, totdat het, zo staat het in de bronnen, het beeld te veel werd. Het stortte neer en doodde in zijn val de man met de zweep. Zijn zoons lieten het er niet bij zitten en deden het een proces aan. Het beeld werd met 'verbanning' gestraft en in zee gegooid. De wraak kwam snel. Een misoogst volgde en de Thasiërs raadpleegden het orakel van Delphi. De priesteres antwoordde hun dat de situatie pas weer normaal zou worden als het beeld op de markt werd heropgericht en Theagenes tot in lengte van dagen werd vereerd. En zo geschiedde.

Diagoras uit Rhodos was een beroemd bokser. In 464 v.Chr. werd hij olympisch winnaar en ook bij de Spelen in Corinthe, Delphi en Nemea was hij succesvol. Hij was betrekkelijk ongeschonden uit zijn vele gevechten gekomen, wat bijzonder mag worden genoemd. De meeste afbeeldingen van boksers laten gehavende neuzen, bloemkooloren en stukgeslagen tanden zien. En satirische epigrammen vertellen ons dat boksers soms zo misvormd waren dat hun omgeving ze nauwelijks meer herkende. Eén bokser verspeelde zelfs zijn erfenis. Zijn broer betwistte hem het recht daarop met het argument dat zijn echte broer neus, kin, oren, voorhoofd en oogleden had gehad en dat de man die aanspraak maakte op een deel van de nalatenschap van zijn vader die niet meer bezat. De rechter stelde hem in het gelijk.

Na zijn actieve carrière was het Diagoras goed gegaan. Hij werd alom gerespecteerd en verkeerde in de gelukkige omstandigheid dat zijn zoons in de sporen van hun vader traden. Zestien jaar na zijn grote succes keerde hij terug in Olympia, als begeleider van de twee oudsten. De een, Damagetos, deed mee aan het pankration, de ander, Akusilaos, had zich ingeschreven voor het boksen. Beiden werden winnaar, tot grote vreugde van hun vader. Toen ze aan het einde van de dag door het talrijke publiek werden toegejuicht gaven ze de eer aan hun vader. Ze namen hem op hun schouders en droegen hem naar het heiligdom van Zeus. De toeschouwers waren diep onder de indruk van zoveel liefde. Ze prezen Diagoras gelukkig dat hij zulke prachtige zoons had voortgebracht. Sommige aanwezigen vonden zelfs dat iemand die zo door het lot was gezegend het verdiende op het hoogtepunt van zijn geluk het aardse bestaan te verlaten. Er kwamen verhalen in omloop dat hij inderdaad zijn laatste adem in de tempel van Zeus had uitgeblazen.

Als dat zo is, dan zal er nog een tijd overheen zijn gegaan,

Bronzen kop van een bokser uit Olympia

want Diagoras was een nog groter geluk beschoren. Zijn jongste zoon, Dorieus, won van 432 tot 424 v.Chr. drie keer het zware pankration. Zijn naam werd in de hele Griekse wereld met eerbied uitgesproken. Overal werd hij uitgenodigd om tijdens festivals zijn kracht te tonen. Nadat hij zijn loopbaan had afgesloten ging hij in de politiek. Ook daar bracht hij het ver en wist in zijn hoedanigheid van hoogste magistraat de bewoners van het verdeelde Rhodos op één lijn te krijgen, wat het begin van een periode van bloei voor deze stad inluidde.

Diagoras en zijn zoons worden tot de groten van Olympia gerekend. Daar zijn ze geëerd met kolossale beelden, en de dichter Pindarus heeft Diagoras in een schitterende ode bezongen. Dat kunnen niet veel olympische winnaars hem nazeggen.

De marathon

In Olympia is nooit een marathon van 42 195 meter gelopen. De langste race was de *dolichos*, maximaal 4800 meter. Toch liggen de wortels van de moderne marathon wel degelijk in de klassieke oudheid, zij het niet in een van de sportstadions maar in de alom bekende veldslag bij Marathon. Tegen ieders verwachting versloegen de verzamelde Grieken daar in 490 v.Chr. de sterker geachte Perzen. 'Marathon' werd een begrip. Op veel plaatsen in Griekenland verrezen opzichtige monumenten als blijvende herinneringen aan het grote succes. Alleen in Sparta keek men met gemengde gevoelens terug op deze gedenkwaardige slag. Volgens de geschiedschrijver Herodotus hadden de Atheners kort voor de slag een boodschapper naar Sparta gestuurd om extra hulp te vragen. Pheidippides (of Philippides) rende in twee dagen naar Sparta, een afstand van 260 km. Een wereldprestatie, zeker als we in aanmerking nemen dat hij over ruw geaccidenteerd terrein liep. Maar zijn inspanningen hebben niet veel uitgehaald, want de Spartanen vertrokken pas nadat ze eerst een religieus festival hadden gevierd en arriveerden een dag ná de slag.

Voor de organisatoren van de eerste Spelen van Athene in 1896 die de marathon in het atletiekprogramma wilden opnemen, bood de geschiedenis van Pheidippides weinig aanknopingspunten. Zij klampten zich vast aan een andere, in de tweede eeuw n.Chr. in omloop gebrachte versie van hetzelfde verhaal, vals weliswaar, maar wel goed bruikbaar. De dichter Lucianus vertelt met enige spot dat Pheidippides onmiddellijk na de Slag bij Marathon naar Athene was gerend om het heuglijke nieuws van de overwinning te vertellen. Hij kwam uitgeput aan en kon nog net de woorden uitbrengen: 'Verheug je, we hebben gezegevierd.' Direct daarop zakte hij in elkaar en stierf. Het is een aansprekend verhaal, dat zelfs in de negentiende eeuw nog door dichters en schrijvers herhaaldelijk is opgetekend.

Waar of niet waar, de laatste 'race' van Pheidippides vormt de basis voor de moderne marathon. Over de afstand die hij daadwerkelijk had gelopen tastten de organisatoren in het duister. Marathon ligt, afhankelijk van de te kiezen route, zesendertig tot veertig kilometer van Athene. In 1896 legde men in Athene een parcours uit dat veel korter was dan veertig kilometer. Maar wat deerde het, de winnaar was een Griek, de waterverkoper Spyros Louis. In Parijs in 1900 en in St. Louis in 1904 kwam de lengte van het parcours evenmin in de buurt van de tweeënveertig kilometer. De marathon in zijn huidige lengte werd voor het eerst gelopen bij de Spelen van 1908 in Londen. Van de startstreep bij Windsor Castle tot de finish bij de koninklijke loge in het Olympisch stadion was het precies 42 195 meter, al zijn er vandaag de dag ook mensen die beweren dat het 42 263 meter was. Maar dat is weer een ander verhaal.

Het publiek

De Olympische Spelen waren een spektakel waar duizenden toeschouwers op afkwamen. Er wordt gesproken over 40 000 mensen. De hele oudheid door bleven ze komen, ook toen de Romeinen het in Griekenland voor het zeggen hadden gekregen. Vermoedelijk kwamen er toen nog veel meer mensen kijken. Cicero mocht in de eerste eeuw v.Chr. nog zo hard roepen dat intellectuelen zich verre dienden te houden van de Olympische Spelen, veel vooraanstaande Romeinen dachten daar heel anders over, bevangen als ze waren door het virus van de Spelen.

Supporters moesten er wel wat voor over hebben om de prestaties van hun helden met eigen ogen te kunnen aanschouwen. Tijdens de wedstrijden zaten ze op harde houten banken of stonden op een van de hellingen rondom het stadion. Na de wedstrijden konden ze nauwelijks uitrusten: alleen al het vinden van een prettige slaapplaats in de omgeving leverde problemen genoeg op. De meeste toeschouwers huurden een tent of sliepen onder de sterrenhemel. Alleen de allerrijksten wisten tegen woekerprijzen een bed in een huis te bemachtigen. Pas in de derde eeuw v.Chr. werd de situatie iets beter. Er werden gastenverblijven en hotels gebouwd, maar die waren zeker niet toereikend om alle bezoekers onderdak te verschaffen.

En dan het eten. De meeste fans kwamen van ver, en de van huis meegebrachte biscuits, uien, knoflook, salades en gedroogde vruchten waren al snel op. Omdat er niet veel bars en restaurantjes waren, zagen de inwoners van de streek hun kans schoon om er een drachme bij te verdienen. Ze leverden alles, van verse groenten en fruit tot gedroogde vis of vlees van wilde dieren aan toe.

Hygiënisch was het allemaal niet. Toiletten en gelegenheden om zich te wassen waren er bijna niet. Het schaarse water van de in de zomer bijna droogstaande rivieren bood weinig uitkomst. Vliegen en muggen vormden een voortdurende plaag. Het kan haast niet anders of velen zullen na afloop van de Spelen opgelucht hun plunjezak hebben gepakt en Olympia snel de rug hebben toegekeerd.

Voor sommige critici waren al die ontberingen reden genoeg om nooit naar Olympia te komen. De schrijver Claudius Aelianus verhaalt over een man van het eiland Chios die ruzie had met een van zijn slaven. Als dreigement hield hij hem een zware straf voor: hij zou hem meenemen naar de Olympische

Spelen. Daar zou hij leren wat afzien is. En de filosoof Epictetus is evenmin optimistisch als hij zijn lezers de grote hitte en droogte, de insecten, de allerbelabberdste sanitaire voorzieningen en de enorme herrie voorhoudt. Maar voor de sportief ingestelde Grieken was dat allemaal geen bezwaar. Zij kwamen telkens weer met duizenden naar de Spelen om hun helden toe te juichen. Ze reisden in het spoor van hun favorieten naar Olympia en na thuiskomst deelden ze een beetje in de glorie van de winnaars.

De goden zijn nog niet uit Olympia verdwenen

Olympia zal altijd tot de verbeelding spreken, hoezeer de wereld ook verandert. Sommige bezoekers hebben er genoeg aan tussen de restanten te wandelen van wat ooit iedere vier jaar het centrum van de Griekse wereld was. De reconstructietekeningen in de reisgidsen volstaan en een hardloopwedstrijdje in het stadion van Olympia roept de sfeer van vervlogen tijden op. Maar Olympia is meer dan de tastbare herinnering aan de plaats waar de Grieken eens in de vier jaar samenkwamen om zich te wijden aan sport en spel, het is bij uitstek de plek om erover na te denken dat de Grieken een samenleving hadden opgebouwd waarin het leven van de mensen in hoge mate werd bepaald door de goden. In Olympia dringen gedachten over hun aanwezigheid zich spontaan op, en nergens zo sterk als bij het grote heiligdom van Zeus, dat zelfs in zijn onttakelde toestand nog laat zien hoezeer de hoogste god betrokken was bij het doen en laten van de Grieken. De verbrokkelde monumentale zuilen die naast de tempel in schijven neerliggen laten zelfs in hun ontluistering zien dat geen inspanning de Grieken te ver ging om Zeus eer te betonen.

Het kost enige moeite om je het heiligdom in zijn volle glorie voor te stellen, compleet met beelden, metopen en timpanen. Maar als je het museum recht tegenover de ingang van het

De beeldengroep van Oinomaos en Pelops

oude Olympia binnenkomt, gaat dat haast vanzelf. In de eerste zaal zie je onmiddellijk hoe de Grieken zich hun goden voorstelden. Zeus, Apollo, de lapithen en centauren, Heracles en Pelops, ze zijn prachtig verbeeld, superieur, als zichtbare uitingen van de hoge achting die de goden bij de Grieken genoten. In hun onderlinge gevechten illustreren de goden de drang naar competitie die de Grieken zo eigen was. Nog duidelijker dan de ruïnes in Olympia vertellen die beelden hoe de Grieken hun onderlinge rivaliteit en machtsdrang beschouwden als een erfenis van de goden. Ze wilden de goden imiteren, hen evenaren in kracht en schoonheid, en de Olympische Spelen waren daarvoor het geëigende middel. Olympische winnaars kwamen dicht in de buurt van de goden.

De afstand tussen goden en mensen is nooit geheel overbrugd. Legendarische overwinnaars konden zich nog zo superieur gedragen en een godgelijk aanzien hebben, de goden bleven onbereikbaar, zij stonden op eenzame hoogte. Niemand mocht eraan twijfelen dat zij in tijden waarin de Griekse eenheid werd bedreigd door burgeroorlogen, intriges, jaloezie en naijver, in Olympia hun gemeenschappelijke achtergrond benadrukten.

Zeus was de grootste van de goden, de andere waren aan hem ondergeschikt. Toen de Grieken in de vijfde eeuw v. Chr. besloten zijn oude tempel te vervangen door een nieuwe, wilden zij dat dit heiligdom het mooiste op aarde zou worden. Pheidias, de beroemdste beeldhouwer van zijn tijd, kreeg opdracht een beeld te ontwerpen dat recht zou doen aan zijn majesteit. Hij vervaardigde een Zeus van ongekende grootte en schoonheid. Alle Grieken die het zagen spraken van een wonder. Helaas is het beeld er niet meer. Het werd door de Romeinen meegenomen naar Constantinopel en daar omgesmolten. Maar uit de beschrijving van de reisschrijver Pausanias uit de tweede eeuw van onze jaartelling wordt duidelijk dat de van goud en ivoor gemaakte Zeus tot de grootste kunstwerken van de toenmaals bekende wereld werd gerekend en de superioriteit van de oppergod volledig tot zijn recht deed komen. Zeus was zittend afgebeeld, met een olijfkrans om het hoofd. In zijn rechterhand hield hij een beeld van Nikè, de godin van de overwinning, in zijn linkerhand een scepter met daarop zijn adelaar. Zijn vergulde gewaad was verfraaid met opvallend gestileerde figuren en lelies en zijn gouden sandalen waren oogverblindend. De troon waarop hij zat, een kunstwerk op zich, was gemaakt van ebbenhout, ivoor, goud en edelstenen. Mythologische voorstellingen waren erop afgebeeld: de Gratiën, Nikè-figuren, de sfinx met jonge Thebaanse knapen, de zonen van Niobe die door Apollo worden gedood en de gevechten van de Amazones. Het beeld stond op een grote sokkel midden in de tempel.

Pheidias voltooide het beeld in 438 v. Chr. Maar voordat het in de tempel zijn plaats zou krijgen, werd de beeldhouwer door twijfel bevangen. Hij vroeg Zeus om door een teken blijk te geven van zijn instemming. Op dat moment vond er vlak voor het beeld een blikseminslag plaats en wist Pheidias dat Zeus zijn goedkeuring gaf. Hij deed wat de god van hem verwachtte. Ondanks zijn ongekende faam kende de beeldhouwer zijn plaats, hij wist dat hij zijn talent had ontvangen van de goden. Het zou nooit in hem zijn opgekomen Zeus voor het hoofd te stoten. Die overmoed zou onmiddellijk zijn afgestraft. Atleten zullen er niet anders over hebben gedacht. Ze waren zich ervan bewust dat hun overwinningen tot stand waren gekomen door toedoen van Zeus en brachten hem daarvoor dank in de vorm van grote offers. Het lijkt nu allemaal verleden tijd, maar wie zich ervoor openstelt proeft ter plekke nog iets van de geheiligde sfeer van vroeger, van dat samenspel tussen goden en mensen. Hij zal met mij eens zijn dat de goden nog niet uit Olympia zijn verdwenen. Gelukkig maar.

De kracht van Asclepius

Asclepiaden, zonen van Asclepius, werden ze genoemd, de artsen in de Griekse wereld. Ze behandelden wonden, debatteerden over ziekteverschijnselen en probeerden met de beperkte middelen die hun ten dienste stonden de Grieken gezond te houden. Maar hoe ze ook hun best deden, er kon een moment komen waarop mensen zich ten einde raad tot hogere machten zouden wenden, en dan vooral tot Asclepius, de god die vanaf de zesde eeuw v.Chr. in diverse heiligdommen in Griekenland werd vereerd en zijn heilzame krachten aan zieke mensen openbaarde. Op het eerste gezicht oogt het wat vreemd: de artsen schieten te kort en daarom wendt de zieke zich tot Asclepius, hun fictieve vader. Die schijnbare tegenspraak wordt begrijpelijker wanneer we bedenken dat Asclepius zich in twee gedaanten manifesteert: als de sterfelijke heros met een reputatie van grote geneeskracht die door Zeus werd gedood, en als onsterfelijke god met geneeskundige krachten.

De held Asclepius was de zoon van de god Apollo en het sterfelijke meisje Koronis. Nog voor zij haar kind baarde, deelde zij het bed met een sterfelijke man, Ischys geheten. De boze god liet haar daarop door zijn zuster Artemis doden. Uit het dode lichaam dat op de brandstapel lag haalde Apollo zijn kind tevoorschijn en vertrouwde het toe aan de zorgen van de centaur Cheiron, een kundig geneesheer. Door hem werd Asclepius opgeleid tot arts, die door bezweringen, allerlei drankjes, middeltjes en het mes ziekten en verwondingen wist te genezen. Asclepius verwierf zich een grote reputatie, die later overging op zijn beide zoons Machaon en Podalirius, die in de *Ilias* als bekwame artsen worden beschreven. Asclepius' genezingen kregen op den duur een bijna miraculeuze allure. Hoewel hij zelf een sterveling was, wist hij doden tot leven te wekken, zoals Hippolytus de zoon van de mythische Atheense koning Theseus, waarmee hij zich de woede van Zeus op de hals haalde. Uit angst dat deze opwekkingen de aardse kringloop van leven en dood zouden verstoren, doodde de oppergod Asclepius met een bliksem.

De onsterfelijke Asclepius werd volgens de legende, die in het Asclepieion in Epidaurus in ere werd gehouden, door Koronis gebaard in het land van de Epidauriërs en te vondeling gelegd op een berg. Geiten die daar in een kudde graasden vonden het kind en zoogden het, de herdershond beschermde het. Toen de herder het kind naderde, zag hij aan het licht dat van het jongetje afstraalde dat het een goddelijk wezen was. Spoedig verspreidde het gerucht zich over landen en zeeën dat de jongen alles kon doen wat hij wilde, dat hij zieken kon genezen en zelfs doden weer tot leven kon wekken.

Wanneer de Asclepius-cultus in Epidaurus is begonnen, is niet te zeggen, wel staat vast dat vanaf de vijfde eeuw v. Chr. de verering van de god zich snel over de Griekse wereld verbreidde. Tegelijk nam ook de invloed toe van de Asclepiaden, de beoefenaars van de rationele geneeskunst. Beide geneeswijzen waren strikt van elkaar gescheiden, maar van rivaliteit tussen de Asclepius-artsen en de Asclepius-priesters was geen sprake. De god Asclepius, meestal afgebeeld als een man van middelbare leeftijd met een lange baard, barrevoets of met sandalen aan, gehuld in een lang kleed dat van de linkerschouder af hangt en met een staf, waaromheen een slang kronkelt, vormde met zijn priesters juist een aanvulling op de rationele geneeskunst.

De zieke die zijn heil zocht bij Asclepius ging naar een van de Asclepieia in Athene, Epidaurus op de Peloponnesus, Trikka in Thessalië en Pergamum of Ephese in Klein-Azië. Wanneer hij in een van die steden het desbetreffende tempelgebied be-

De god Asclepius (foto Almar Deerenberg)

trad, onderwierp hij zich aan een streng reinigingsritueel, dat geruime tijd in beslag nam. In Epidaurus kon hij direct bij de ingang het opschrift lezen: 'Wie het heiligdom van de goden betreedt moet rein zijn en zuivere gedachten hebben.' Eerst begaf hij zich naar de tempel van Asclepius, waarin een reusachtig beeld van de helende god stond, en probeerde tot rust te komen. Gedachten aan aardse beslommeringen zette hij uit zijn hoofd en hij concentreerde zich volledig op zijn relatie tot de god. Daarna reinigde hij zich in de naburige bron en bracht een offer op het altaar van Asclepius. Nu was hij klaar om de richtlijnen van de priesters op te volgen en zich volledig te onderwerpen aan de heilige riten, vermoedelijk in de ronde *tholos*-tempel, vlak naast het heiligdom van Asclepius. Wat zich daar precies afspeelde is niet goed te achterhalen, omdat het de patiënten niet vrijstond er over te spreken. Vermoedelijk praatten de priesters op de mensen in, hypnotiseerden hen misschien zelfs, en brachten hen zo in een toestand waarin ze zich volledig konden openstellen voor de god en zich een voorstelling konden maken van de genezing waarop ze zo vurig hoopten.

Had de zieke aan alle voorwaarden voldaan en was hij in de juiste stemming gebracht dan namen de priesters hem mee naar het *abaton*, een afgesloten ruimte van negen bij zeven meter, die door een onderaardse gang met de Asclepiustempel was verbonden. Daarbinnen straalden enkele olielampen een flauw licht uit, dat na het vertrek van de priesters langzaam doofde. In totale duisternis was de zieke vervolgens alleen met zijn gedachten, zijn verbeelding en zijn hoop op genezing. Hij droomde weg, en in die diepe sluimer presenteerde Asclepius zich aan hem. Sommige patiënten beeldden zich in dat de god aan hen verscheen en hen genas. Als ze de volgende ochtend ontwaakten, dankten ze hem en zijn priesters door middel van het brengen van kostbare offers.

Deze wondergenezingen werden door de tempelpriesters op stenen zuilen gegraveerd en als korte vertellingen gepresenteerd. Het aantal genezingen moet groot zijn geweest, want in de tweede eeuw n.Chr. schreef Pausanias (228) over Epidaurus:

> Er staan stenen platen op het heilige terrein, nu nog zes, maar vroeger meer, en daarop staan inscripties met de namen van mannen en vrouwen die door Asclepius zijn genezen, evenals de kwaal waaraan ze leden en de manier waarop ze beter werden.

Alleen de zes platen die Pausanias vond vermelden al zeventig gevallen. De meeste daarvan betroffen blindheid en lamheid, maar ook zware hoofdpijnen, lintwormen, bloedzuigers, gezwellen, nierstenen en gynaecologische aandoeningen worden vermeld. Als tastbaar bewijs van de goddelijke ingreep werden bij de patiënt soms opvallende zaken aangetroffen: chirurgisch materiaal, bloedsporen of de operatief verwijderde gezwellen of organen die de genezen patiënt 's ochtends ineens in zijn hand had.

De werkwijze van Asclepius kan het best worden geïllustreerd aan de hand van enkele voorbeelden van een wondergenezing. Heel opvallend bijvoorbeeld is de genezing van een halfblinde vrouw uit Athene, mede omdat de weifelende houding van deze vrouw maatgevend is voor velen in de Griekse wereld die kritisch stonden tegenover tempelgenezingen. Ambrosia, zo heette de Atheense vrouw, kwam als smekeling naar de god. Terwijl zij in het heiligdom rondliep, lachte zij om de genezingen, die haar onwerkelijk leken. Een droomgezicht kon zoiets toch niet realiseren. Toch overnachtte ze in het heiligdom en kreeg daar een droom. Ze droomde dat de god haar wilde genezen, maar dat hij dan wel als honorarium een zilveren votiefaltaar wenste. Dat moest ze in het heiligdom opstellen als herinnering aan haar aanvankelijke ongeloof. Na die woorden sneed hij het blinde oog open en goot er een geneesmiddel in. Toen zij naar buiten kwam, was het oog weer gezond.

Nog opzienbarender was de genezing van Kleio, een vrouw die al vijf jaar zwanger was. Haar wanhoop was zo groot geworden dat ze naar de god Asclepius kwam en in het heiligdom bleef slapen. Zodra ze de volgende dag het heiligdom had verlaten en buiten het tempelgebied was aangekomen, baarde ze een zoon, die onmiddellijk na de bevalling naar een bron liep, zich daar waste en vervolgens mee huppelde aan de arm van zijn moeder.

En wat te denken van het volgende geval, een man met een gezwel in zijn onderbuik. Tijdens zijn slaap in de tempel had hij een droom. Hij droomde dat de god aan de tempeldienaren die hem vergezelden opdracht gaf om hem aan de knop van de tempeldeur vast te binden. De man probeerde weg te komen maar zij grepen hem stevig vast. Daarop sneed Asclepius zijn buik open en verwijderde het gezwel. Na de wond te hebben dichtgenaaid bevrijdde de god hem van zijn boeien. Gezond stond de man op en wandelde weg. Bloedsporen bleven achter als stille getuigen.

Zo zijn er nog vele wonderlijke genezingen overgeleverd. Helaas vertellen de inscripties niets over de psychologische achtergrond van de merkwaardige religieuze ervaring van zo'n droomverschijning. Daarvoor moeten we zijn bij de schrijver Aelius Aristides, uit de tweede eeuw n.Chr. Aristides was een neuroticus met zware psychosomatische storingen die zijn hele leven lang heeft geklaagd over lichamelijke kwalen. Maar die ongemakken hebben hem er niet van weerhouden vele reizen te maken en de respectabele leeftijd van drieënzestig jaar te bereiken. Hij was nog betrekkelijk jong toen Asclepius, in een periode van diepe neerslachtigheid, in een droom aan hem verscheen. Hij schrok wakker en riep: 'Groot is Asclepius! De opdracht is uitgevoerd!' Vanaf dat moment speelde de god een dominante rol in zijn leven, en hoewel hij ook gewone artsen raadpleegde, kwam hij telkens terug bij Asclepius, zoals we kunnen lezen in zijn *Heilige Woorden*, een soort religieuze autobiografie. Hij heeft zelfs twee jaar aaneengesloten doorgebracht in de onmiddellijke omgeving van het Asclepieion in Epidaurus, waar de god hem telkens opnieuw in droomgezichten verscheen en instructies gaf. Het effect van een droomverschijning heeft hij aldus beschreven (*Heilige Woorden* 2,31-32):

> De aanwezigheid van de god was manifest. Het was alsof ik hem kon aanraken, alsof ik kon waarnemen dat hij kwam. Alsof ik tussen slapen en waken was en gekweld werd door de angst dat hij te snel zou vertrekken.

De Asclepiuscultus heeft zich tot buiten de Griekse wereld verspreid. In 293 v.Chr. deed de god ook zijn intrede in Rome. Aanleiding was een pestepidemie die vele slachtoffers maakte. Op aanraden van de priesters van het Apollo-heiligdom in Delphi en na raadpleging van de Sibyllijnse boeken werd het Tibereiland de plaats waar een heiligdom verrees en waar duizenden genezing zochten. Ook hier vonden wondergenezingen plaats, vergelijkbaar met die in Epidaurus, zoals blijkt uit de volgende inscriptie:

> Aan Julianus die bloed opgaf en door alle mensen was opgegeven openbaarde de god dat hij naar het altaar moest gaan, daar de zaden van een dennenappel moest nemen die hij in combinatie met honing gedurende drie dagen moest eten. Zo werd hij gered en hij bracht ten overstaan van het volk dank.

De populariteit van Asclepius handhaafde zich lange tijd en verspreidde zich zelfs tot de westelijke grenzen van het Romeinse rijk. Het waren de christenen die zijn cultus in diskrediet brachten door voortdurend te benadrukken dat Asclepius geen levens redde maar slechts vernietigde. Hij was niet meer dan een boze demon, die de mensen afhield van hun eeuwige verlossing. De echte *soter* ('redder') was volgens hen de heiland Jezus Christus. Voor Asclepius was er geen plaats. Het was voor de christenen dan ook uitermate pijnlijk dat hun grote bestrijder, keizer Julianus 'de Afvallige', in zijn korte regeringsperiode van 360 tot 363 de cultus van de *soter* Asclepius nieuw leven wilde inblazen. Volgens Julianus viel namelijk de vergelijking tussen de wonderdoener Jezus Christus, die in een uithoek van het Romeinse rijk lammen liet lopen, blinden het licht in hun ogen teruggaf en duivels uitdreef, en de god Asclepius, die in vele heiligdommen in het hele rijk zijn genezende kracht openbaarde, in het nadeel van de eerste uit. Maar Julianus' vroege dood stond een heropleving daarvan in de weg. Met hem verdween de laatste grote voorvechter. Het christendom triomfeerde. Ignatius van Antiochië had het al eerder onomwonden gezegd: 'Er is maar één arts... Jezus Christus onze Heer'.

De cultus is verdwenen, maar de naam Asclepius leeft voort in teksten en afbeeldingen. Vanaf de zestiende eeuw is de god veelvuldig afgebeeld in fraai geïllustreerde medische en pharmacologische boeken, met zijn staf en de daaromheen kronkelende slang. Deze attributen zijn nu nog te zien in de aesculaap, sinds 1956 het officiële symbool van de moderne geneeskunde, al moet je wel heel goed kijken om in de schematische lijnen de oude symbolen van de helende kracht van Asclepius te herkennen.

Democratie en kritiek

Griekse reisgidsen houden ervan met ironie over hun land en zijn inwoners te praten. Ze nemen geen blad voor de mond als ze de Griekse volksaard op de korrel nemen. Het steeds terugkerende thema in hun monologen is dat het eigenlijk een wonder mag heten dat de Grieken het zo lang met elkaar hebben uitgehouden. Vorig jaar, tijdens een busreis over het mooie eiland Rhodos, was ik getuige van een staaltje Griekse zelfspot. De bebaarde reisgids, die eruitzag als een van de Kretenzische helden uit de roman *Kapitein Michalis* van Nikos Kazantzakis, had maar een paar woorden nodig om een groepje toeristen uit te leggen dat verdeeldheid de Grieken aangeboren is. Met zijn rake typering 'zet twee Grieken bij elkaar en ze spelen backgammon, breng drie Grieken samen en ze ontketenen een burgeroorlog' kreeg hij de lachers op zijn hand; maar hij had het wel bij het rechte eind, want vanaf het vroegste begin tot diep in de twintigste eeuw is de Griekse geschiedenis één lang verhaal van verdeeldheid, interne strijd, burgeroorlog, onderlinge competitie, jaloezie en broze vrede.

Het ontbreken van eensgezindheid en politieke stabiliteit wekt enige bevreemding, omdat de Grieken, die in de achtste en zevende eeuw v.Chr. uitwaaierden over de landen rond de Middellandse Zee, juist bijzonder trots waren op hun collectieve etnische identiteit. Ze waren er heilig van overtuigd dat hun gemeenschappelijke taal, cultuur en religie hen in positieve zin van andere volkeren onderscheidden. Niet-Grieken waren in hun ogen barbaren, omdat ze onbegrijpelijke klanken uitstootten die hun als onverstaanbaar gebrabbel in de oren klonken. Maar hoezeer ze hun gemeenschappelijke achtergrond ook beklemtoonden, iedereen kon zien hoe divergerende krachten de Grieken uiteendreven. Staatkundige eenheid was steeds verder te zoeken, de realiteit was een versnippering in tientallen onafhankelijke stadstaten, die politiek ver van elkaar af stonden en geregeld conflicten uitvochten.

Alleen als zich een gemeenschappelijke vijand aandiende waren de Grieken soms bereid hun onderlinge conflicten naar de achtergrond te dringen en zich uit alle macht tegen hem teweer te stellen. De Perzen hebben dat ervaren. Tot twee keer toe zijn ze Griekenland binnengevallen, beide keren zijn ze vernietigend verslagen: in 490 v.Chr. bij Marathon en tien jaar later bij Salamis. Die klappen kwamen zo hard aan dat ze nooit meer zijn teruggekeerd. Maar de Perzen hadden hun hielen nog niet gelicht of de onderlinge competitie en naijver staken de kop weer op en iedere stad hield weer vast aan zijn eigen beleid, met een eigen regeringssysteem, in de meeste gevallen een vorm van aristocratisch bestuur, met vooraanstaande leden van de lokale elite als gezagsdragers. Zeker van hun positie waren deze bestuurders echter nooit, omdat er voortdurend aan hun stoelpoten werd gezaagd door andere aristocraten die zich met grote beloften tot het volk wendden om hen voor hun zaak te winnen. In sommige steden moesten de aristocraten tijdelijk het veld ruimen en accepteren dat een of twee generaties tirannen met steun van het volk de macht in handen hadden. De zoons van die tirannen, die de autoriteit van hun vaders misten, werden vervolgens afgezet en zo werd de strijd om de macht weer uitgevochten als voorheen. Meestal kregen de aristocraten hun machtspositie terug, maar niet overal verliep het proces langs deze lijn.

Sparta en Athene vormden de grote uitzonderingen. De Spartanen hadden zich in de zevende eeuw min of meer afgesloten voor de ontwikkelingen in de rest van Griekenland en hadden in hun isolement een staatsvorm ontwikkeld die door Aristoteles en, later, door de Romeinen als ideaal werd beschouwd, omdat monarchie, aristocratie en democratie erin samenkwamen. Twee koningen met voornamelijk uitvoerende en ceremoniële bevoegdheden vormden het monarchistische element, de raad van ouden (*gerousia*) leverde met haar wetsvoorstellen het aristocratische aandeel en de volksvergadering (*apella*), die de wetsvoorstellen moest goedkeuren, vertegenwoordigde het volk in de regering. Door dit gecombineerde regeringsstelsel was er in Sparta sprake van een stabiliteit die weldadig aandeed vergeleken bij de aristocratische regimes in andere steden, die altijd het risco liepen dat de kritiek op het gevoerde beleid op een revolutie kon uitlopen.

De grote concurrent van Sparta, Athene, had een heel andere weg bewandeld. Tot het begin van de zesde eeuw v.Chr. had de stad de gebruikelijke aristocratische staatsinrichting gekend, maar de macht van de elite was rond 594 v.Chr. voorzichtig aangetast door Solon. Hij schildert zichzelf in zijn gedichten af als een bemiddelaar tussen 'het volk' en de aristocraten, die zich presenteerden als 'leiders van het volk'. Zijn voorstellen hebben niet geleid tot de invoering van de democratie maar hebben wel het pad geëffend. Hij deelde de bevolking op basis van vermogen in vier klassen in, waarbij de twee hoogste klassen (*pentakosiomedimnoi* en *hippeis*) de elite vormden en de derde klasse van boeren (*zeugitai*) en de vierde klasse van loonarbeiders en handwerkslieden (*theten*) de gewone bevolking. Hij kreeg het voor elkaar dat het de elite onmogelijk werd gemaakt mensen die hun schulden niet meer konden betalen als slaaf aan zich te onderwerpen. Het was in politiek opzicht van belang dat iedere Athener, ongeacht zijn financiële draagkracht, zitting kon nemen in de juryrechtbanken. Duurzame stabiliteit hebben zijn maatregelen niet gebracht. De twisten tussen de aristocratische families, die in weerwil van Solons maatregelen de macht nog steeds in handen hadden, bleven een grote rol spelen. In 546 v.Chr. werd hun monopolie echter gebroken door iemand uit eigen kring: Pisistratus. Na twee vergeefse pogingen wist hij zich met steun van een groot deel van het volk meester te maken van de alleenheerschappij, de tirannie. Tijdens zijn regering, die bijna zesendertig jaar duurde, maakte hij zich populair door zijn sociale, economische en culturele hervormingen. Hij bouwde tempels, verfraaide de stad en maakte de Panathenaeïsche Spelen tot een festival dat velen gelijkstelden aan de Olympische Spelen. Na zijn dood wilden zijn zoons Hippias en Hipparchos in zijn voetsporen treden, maar zij misten het politieke instinct en de autoriteit van hun vader, en de nazaten van de afgezette aristocraten maakten zich op om de machtspositie van hun voorouders te heroveren. Ze waren echter hopeloos verdeeld en een onderlinge machtsstrijd barstte los.

Een van die machtsbeluste politici was Cleisthenes, een telg uit het vooraanstaande geslacht van de Alcmeoniden. Toen hij in de felle concurrentiestrijd het onderspit dreigde te delven, deed hij wat andere aristocraten altijd hadden vermeden: hij zocht de politieke steun van de gewone Atheners, de handwerkslieden en de boeren buiten de stad. Met hun hulp versloeg hij zijn tegenstanders en veranderde de politiek van Athene radicaal door het volk een macht te geven waarvan het voordien alleen maar had kunnen dromen. Bevoegdheden van de aristocratische raad werden overgeheveld naar de volksvergadering (*ekklesia*), waarin alle mannelijke burgers van achttien jaar en ouder zitting hadden. De aristocratie, die gewend was geweest het beleid te bepalen, moest zich voortaan schikken in de besluiten die in de volksvergadering werden genomen. Er valt overigens heel wat af te dingen op de benaming 'democratie', omdat grote groepen van de bevolking werden buitengesloten.

Behalve slaven en vreemdelingen mochten ook de vrouwelijke burgers niet stemmen, zij mochten ook de volksvergaderingen niet bijwonen. Als een vrouw voor het gerecht werd gedaagd, mocht ze zichzelf niet verdedigen, maar moest ze dat overlaten aan haar echtgenoot of een andere Atheense burger. Misschien wel het opmerkelijkst is dat zij werden aangesproken als 'vrouwen van Attica', terwijl hun echtgenoten zich vol trots 'burgers van Athene' noemden.

Cleisthenes heeft de contouren van de Atheense democratie geschetst; in de volgende decennia zou het systeem zich verder ontwikkelen op een manier die het volk met instemming begroette maar bij de meeste aristocraten vooral kritiek opriep. Hun macht werd verder ingeperkt, doordat de over tien geografische districten verdeelde burgers minder afhankelijk waren van de rijke elite en dat in de volksvergadering demonsteerden door openlijk voor hun mening uit te komen. Alle stemmen, van de armste loonarbeider tot de meest vooraanstaande aristocraat, telden voortaan even zwaar. De volksvergadering kon alleen niet haar eigen agenda opstellen, omdat alle bijeenkomsten werden voorbereid door de *boulè*, een jaarlijks gekozen raad van vijfhonderd man, waarvoor alle burgers, met uitzondering van de armste, in aanmerking kwamen. De hoogste uitvoerende taken werden het volk onthouden en bleven voorbehouden aan vermogende Atheners. Zij bekleedden de functies van strateeg of archont en voerden de besluiten van de volksvergadering uit, of ze het daar nu mee eens waren of niet.

Om de democratie te waarborgen tegen al te grote ambities van eerzuchtige aristocraten was er de noodrem van het ostracisme. Iedereen die ervan verdacht werd dat hij de staat naar zijn hand wilde zetten, kon voor tien jaar uit Athene worden verbannen. Minimaal zesduizend burgers moesten zo'n verbanningsvergadering bijwonen en anoniem hun stem uitbrengen. Iedere burger moest daarbij op een potscherf (*ostrakon*) de naam opschrijven van degene die naar zijn mening de stad

Ostraka gevonden op de agora in Athene, met op drie scherven de naam van Themistocles

moest verlaten. Bij dit schervengericht dreigde ook het gevaar dat politici die niets hadden misdaan het slachtoffer werden van de geldingsdrang van de volksvergadering. Aristides, bijgenaamd 'de rechtvaardige', heeft dit persoonlijk ervaren, toen hij eens door een analfabeet, die hem niet herkende, werd gevraagd bij een ostracisme zijn eigen naam op de potscherf te schrijven. Op de wedervraag waarom hij juist Aristides wilde verbannen, antwoordde de man dat hij het zat was altijd maar te moeten horen dat Aristides 'de rechtvaardige' werd genoemd.

Heel vaak moeten aristocraten hebben geknarsetand vanwege het al maar radicaler wordende beleid van de Atheense volksvergadering, dat in hun ogen te zeer was gericht op de belangen van het volk. Zij zagen de democratie als een breuk met het verleden, als het afscheid van een samenleving waarin goed opgeleide politici met kennis van zaken een beslissende stem hadden. Vooral de sterke concentratie op de zee was hun een doorn in het oog. Tot de Perzische Oorlogen (491-479 v.Chr.) was Athene een stadstaat geweest als de meeste andere. Landbezit was het criterium geweest voor aanzien en respect. Aristocraten hadden zich altijd laatdunkend uitgelaten over de laagste Atheense burgers (*theten*), die geen of bijna geen grond bezaten en bij gebrek aan voldoende inkomsten uit arbeid voor financiële ondersteuning van hen afhankelijk waren. De positie van de armste Atheners in het leger was een afspiegeling geweest van die ondergeschikte positie. Omdat ze de wapens van zwaargewapende soldaten niet konden bekostigen, hadden ze als boogschutter of slingeraar slechts een bescheiden rol in de oorlogvoering kunnen spelen, wat er mede aan had bijgedragen dat ze in de eerste jaren na de invoering van de democratie in de volksvergadering hun mond niet hadden durven opendoen. Hun stemgedrag was veelal afgestemd op dat van de rijkere burgers, die een betere opvoeding hadden genoten, retorisch goed onderlegd waren en meer gerespecteerd werden.

De slag bij Salamis in 480 v.Chr. vormde in meerdere opzichten een keerpunt voor de theten. Ze werden zich er ineens van bewust dat ze wel degelijk iets voor hun stad betekenden. Anderen, die voordien geringschattend over hen hadden gedacht, konden niet meer om hen heen. Hun nieuwe status hadden ze te danken aan de strateeg Themistocles. Enkele jaren na de slag bij Marathon was hij tot het inzicht gekomen dat de Perzen alleen met een goede vloot waren af te stoppen en had hij een omvangrijk vlootprogramma gestart om aan de dreiging uit het oosten weerstand te kunnen bieden. Het was een grote koerswijziging, want tot dan toe was in Griekenland alleen Corinthe in het bezit geweest van een kleine oorlogsvloot. De ontdekking van een rijke zilverader in de nabije omgeving van Athene verschafte Themistocles de financiële armslag om in een paar jaar een vloot van bijna tweehonderd oorlogsschepen (triremen) te kunnen bouwen. Bij Salamis werd duidelijk dat Themistocles een vooruitziende blik had gehad met zijn besluit om de vloot en niet het landleger te versterken. Met een uitgekiende tactiek wist hij de Perzen af te troeven. De vijandelijke vloot werd verslagen, veertigduizend roeiers van de vijand vonden de dood in de golven en de overige bemanningen vluchtten halsoverkop weg. De naam van Athene als zeemacht was definitief gevestigd. De theten kregen meer gevoel voor eigenwaarde en er ontwikkelde zich zoiets als een 'theten-imago': hun minderwaardigheidscomplex maakte plaats voor een groeiend zelfvertrouwen en omdat zij getalsmatig in de volksvergadering in de meerderheid waren en met hun door harde roeitrainingen gespierde lijven andere stemmers imponeerden, wisten ze een stempel te drukken op de besluitvorming.

In de jaren na de Perzische Oorlogen ging het Athene voor de wind, vooral door de kracht van de door theten geroeide oorlogsvloot. De voorspoed van Athene riep jaloezie op in de verdeelde Griekse wereld, vooral bij de Spartanen, die hadden gekozen voor een militaristische samenleving zonder al te veel luxe en met afgrijzen de zeemacht van Athene zagen groeien. Omdat de Atheners niet schroomden hun beleid overal in Griekenland aan te prijzen, werd een machtsstrijd tussen Athene en Sparta onvermijdelijk. Beide staten stonden aan het hoofd van een grote bond. Sparta gaf leiding aan de Peloponnesische Bond, Athene was de leider van de Delisch-Attische Bond, een zeebond waarvan ongeveer honderd stadstaten lid waren.

De merkwaardige situatie deed zich nu voor dat theten als roeiers op de vloot uitvoerders waren van een beleid dat ze zelf in de volksvergadering hadden bedacht én waarvan zij zelf het meest profiteerden. Voor de dagelijkse roeitrainingen kregen ze een vast inkomen, al was de soldij van een halve tot een hele drachme per dag niet voldoende om een gezin te onderhouden. Maar het was meer dan ze ooit als slingeraar of boogschutter hadden verdiend. Soms kregen ze als aanvulling op hun loon een bijdrage in natura, in de vorm van brood, vis, olijfolie of wijn. De theten die niet als roeier actief waren profiteerden van de werkgelegenheid in de stad, die door de bouw van triremen, de verfraaiing van het stadscentrum met tempels en openbare gebouwen en door de toegenomen handel en nijverheid sterk was toegenomen. Veel traditioneel ingestelde Atheners vonden deze ontwikkelingen maar niets, maar ze konden in de volksvergadering weinig uitrichten, zeker niet zolang de welvaart in de stad toenam en de theten zich op hun militaire successen konden laten voorstaan.

Zo zien we dat in de vijfde eeuw de aristocratische politieke idealen naar de achtergrond worden gedrongen. De klachten van vooraanstaande Atheners over het verval van traditionele Griekse waarden konden de theten echter niet op andere gedachten brengen. De volksvergadering ging standvastig door op de ingeslagen weg. Er was voor de theten dan ook geen reden om hun beleid te wijzigen. Ze hadden het beter dan ooit en konden zich erop beroemen dat ze van Athene een stad hadden gemaakt die zijns gelijke in de Griekse wereld niet kende. De critici konden er niet omheen dat dankzij de inkomsten van de Delisch-Attische Bond de overheid over veel geld beschikte en dat men kunstenaars uit alle delen van de Griekse wereld uitnodigde om de stad verder te verfraaien. Trots kan echter ook omslaan in hovaardij. De theten begonnen na verloop van tijd de werkelijkheid uit het oog te verliezen en beeldden zich in dat andere Griekse stadstaten een inferieur regeringssysteem hadden en moesten overgaan op hun democratie. Ze waren zo overtuigd van hun gelijk dat ze openlijk verkondigden dat het democratische experiment overal ingang moest vinden. Zonder gêne noemden ze hun stad 'een leerschool voor geheel Hellas'. De leider van Athene in de beginfase van De Peloponnesische Oorlog (431-404 v.Chr.), Pericles, bracht deze opvatting naar buiten in zijn beroemde lijkrede ter ere van de Atheense gevallenen in het eerste jaar van deze oorlog, waarin hij alle voordelen van de democratie opsomde. Het moest voor iedereen duidelijk zijn dat er geen regeringssysteem was dat op enigerlei wijze met de democratie kon wedijveren.

Pericles

Pericles' lofzang op de democratie vond in de andere steden weinig weerklank. Het voornemen van Athene om de overige Grieken de voordelen van de democratie bij te brengen, werd van de hand gewezen als een inbreuk op binnenlandse aangelegenheden, niet alleen in de steden die zich bij de Spartanen hadden aangesloten, maar ook in de lidstaten van de Delisch-Attische bond die de Atheense bemoeienis met hun interne aangelegenheden meer dan zat waren. Geregeld braken opstanden uit die gericht waren tegen de aanwezigheid van Atheense kolonisten op hun grondgebied. Ze konden slechts met veel geweld worden neergeslagen. De onvrede over de Atheense inmenging groeide en de protesten tegen het Atheense 'zeerijk' klonken steeds luider. De instemming waarmee het Atheense initiatief voor de oprichting van een zeebond tegen Perzië ooit was ontvangen, sloeg om in haat tegen wat zij ervan hadden gemaakt.

Het alternatief voor het Atheense model was Sparta, dat zich overigens in de Peloponnesische Bond eveneens schuldig maakte aan imperialisme. Voor een aantal steden was het Atheense machtsstreven echter veel bedreigender en het aantal steden dat de bond wilde verlaten groeide. Een gewapend conflict kwam snel naderbij. Atheense strategen meenden dat hun sterke vloot superieur was en dat de bondgenoten ondanks hun dreigementen om uit de bond te treden wel trouw zouden blijven. Maar ze werden ernstig teleurgesteld toen Athene in de Peloponnesische Oorlog veel kwetsbaarder bleek dan verwacht. Op zee waren ze in de eerste oorlogsjaren weliswaar nog heer en meester, maar de kracht van de goed getrainde legers van de Spartanen veroorzaakte in Athene veel onrust. Zolang Athene standhield tegen de Spartanen, bleef de kritiek beperkt, maar de toenemende radicalisering van de volksvergadering en het uitblijven van aansprekende successen leidden tot een toename van de protesten. De theten stoorden zich daar echter niet aan, ze wilden niet horen van de risico's die de machtspolitiek van Athene met zich meebracht en streefden zelfs naar een uitbreiding van hun invloedssfeer in westelijke richting. De expeditie naar Sicilië waartoe ze in 415 v.Chr. besloten liep uit op een grote mislukking. De Atheense vloot werd door de verenigde vlooteenheden van Corinthiërs, Syracusanen en Spartanen verslagen. Athene had zijn hegemonie op zee verloren, al wilde de volksvergadering daar nog niet aan. Met vereende krachten richtte Athene zich nog één keer op, maar de kleine overwinningen in de volgende jaren stelden weinig voor, en toen de Atheense vloot in 405 v.Chr. in het noorden, in de Hellespont, werd verslagen en de graantoevoer, voor de Atheners van levensbelang, werd geblokkeerd, was het einde nabij. De inwoners van de stad konden niets anders doen dan zich overgeven aan de Spartanen. Athene moest zijn hele vloot op tien triremen na inleveren en had als vlootnatie (voorlopig) afgedaan.

De nederlaag in de Hellespont vormt het vernederende slotakkoord van de Atheense machtspolitiek. Even heeft het er zelfs naar uitgezien dat de democratie zou verdwijnen, maar de coup van een aantal aristocraten om 'een regering van dertig' te vestigen, kon worden onderdrukt. De glans van een machtig democratisch Athene zou echter niet meer terugkeren.

Kritiek op de democratie

Principiële bezwaren tegen de democratie als regeringsvorm waren al geuit toen de aristocraten nog vast in het zadel zaten, en met de groeiende macht van de Atheense democratie werden ze vaker gehoord. De eerste getuigenissen van de voor- en nadelen van de democratie zijn te vinden in het beroemde debat over de ideale staatsvorm in Herodotus' *Historiën* (3, 80-82). Het debat wordt door de 'vader van de geschiedenis' gesitueerd aan het Perzische hof na de dood van koning Cambyses, maar we mogen aannemen dat Herodotus de standpunten van Griekse intellectuelen over de ideale staatsvorm presenteert, omdat het niet aannemelijk is dat rond 500 v.Chr. in Perzië op het hoogste niveau ruimte was voor denkbeelden die ver afstonden van die van de eigen monarchie. Drie Perzen voeren het woord: Otanes pleit voor de democratie, Megabyzus breekt een lans voor de oligarchie en Darius is de pleitbezorger van de monarchie. De term 'democratie' klinkt Otanes als muziek in de oren. Een regering van het volk, met door loting aangewezen overheden, die verantwoording moeten afleggen bij de volksvergadering, is voor hem de mooiste staatsvorm die er is. Megabyzus ziet niets goeds in de democratie. De willekeur van een begriploze, overmoedige, redeloze en bandeloze volksregering mag nooit realiteit worden. Darius sluit zich bij deze woorden aan, al leiden zijn afwegingen niet naar een oligarchie maar naar de monarchie.

Megabyzus zit met zijn kritiek op de lijn van aristocratische Grieken zowel in als buiten Athene, die het afgrijselijk vonden dat de redeloze massa het in de grootste stad van Griekenland voor het zeggen had. Zij waren van mening dat de gelijkheid in de Atheense maatschappij te ver was doorgeschoten en konden het maar moeilijk verkroppen dat iedere burger, rijk of arm, geschoold of niet opgeleid, de vrijheid had om in de volksvergadering zijn woordje te doen. Het stoorde hen dat mensen die in hun ogen minder waren in de volksvergadering voor de wet gelijk waren (*isonomia*) en gelijk recht van spreken (*isegoria*) hadden. Toon en inhoud van hun kritiek verschilden, maar hun bezwaren waren in de grond gelijk. Sommige critici lieten het bij satirisch getoonzette of persoonlijke aanvallen op de leiders van de democratie, vooral op demagogen die misbruik maakten van de onwetendheid van het volk en het naar de mond praatten. Anderen richtten hun pijlen op het systeem van de democratie en spraken hun afkeer erover uit. Het was voor hen een uitgemaakte zaak dat de doorsnee burgers intellectueel onvoldoende toegerust waren om de regeringsmacht samen met beter opgeleiden te delen. Zij dachten met nostal-

Plato

gie aan de regeringssystemen van het archaïsche Griekenland, waarin de elite het voor het zeggen had gehad. Soms was hun kritiek gematigd, soms fel en bijtend, maar altijd vervuld van gevoelens van onbehagen. Dat het zover had kunnen komen.

Een deel van de kritiek is bewaard gebleven in het werk van historiografen, redenaars en filosofen. Thucydides uit in kalme bewoordingen zijn ongenoegen over de ongewenste effecten van de democratie. Zijn opmerking dat Athene in feite geen democratie was maar de regering van één man, Pericles, die het volk zo kundig bespeelde dat het hem blindelings volgde, is een goede observatie van de werkelijke situatie. Socrates en Plato waren feller en principiëler in hun kritiek. Zij waren voorstanders van een regering van filosoof-koningen en konden niet begrijpen dat een stad geregeerd werd door de massa, die zich bij gebrek aan goede scholing liet leiden door de waan van de dag. Als je schoenen nodig had ging je toch ook naar iemand die het vak van schoenmaker onder de knie had? En als je een timmerman zocht nam je toch ook niet de eerste de beste maar ging je op zoek naar een vakman? Alleen voor het besturen van de staat waren blijkbaar geen kwalificaties vereist. Plato's verwijten hebben steevast deze ondertoon: het volk is onbekwaam, het is gemakkelijk te misleiden en het kiest voor de leiders die het naar de mond praten, maar niet het beste met de staat voorhebben. Het gevolg van dat gedrag was dat de Atheense democratie werd beheerst door de willekeur van de massa, die de weldoordachte opvattingen van de goed onderlegde elite aan zich voorbij liet gaan.

Aristoteles had in de vierde eeuw evenmin veel waardering voor het democratische systeem van Athene. Het was doorgeslagen, omdat alle burgers, ongeacht hun kwaliteiten, evenveel recht van spreken hadden. Naar zijn mening kon de democratie alleen goed functioneren als iedere burger er een aandeel in had dat hem paste. Burgers moesten leren zich politieke vaardigheden eigen te maken en op grond van de resultaten daarvan moesten ze een plaats krijgen in de democratie. In de praktijk kwam het erop neer dat alleen burgers met verstand én bezit volledig stemrecht mochten hebben.

De oude oligarch

Hét verwijt tegen het democratische regeringssysteem, namelijk dat het de belangen van de arme, onbekwame meerderheid beter vertegenwoordigt dan die van de rijke minderheid, komt in de Griekse literatuur telkens terug, maar nergens zo expliciet als bij de anonieme schrijver van een kort schotschrift tegen de democratie. Lange tijd werd gedacht dat Xenophon (ca. 430-ca. 350) de auteur van het pamflet was, omdat van hem bekend is dat hij een verklaard anti-democraat was. Hij had het grootste deel van zijn leven buiten Athene op de Peloponnesus doorgebracht en heeft in zijn werk geen geheim gemaakt van zijn voorliefde voor de gemengde constitutie van Sparta. De identificatie met Xenophon heeft men echter laten varen, overigens zonder dat iemand de werkelijke naam van de auteur heeft kunnen achterhalen. Op grond van zijn sympathieën voor de oligarchie ('regering van weinigen') is hij de geschiedenis ingegaan als de 'oude oligarch'. Het is niet precies bekend wanneer de anonieme auteur zijn pamflet publiceerde. Aanvankelijk dacht men dat het in het begin van de vierde eeuw het licht zag, maar de laatste jaren neigen geleerden ertoe het geschrift rond 420 v.Chr. te dateren, toen Athene na de (tijdelijke) Vrede van Nicias even kon bijkomen van tien jaar geweld in de Peloponnesische Oorlog.

De constitutie van de Atheners, zoals de korte tekst wordt genoemd, is een heel merkwaardig geschrift. De schrijver vaart uit tegen de radicale democratie, maar gaat tevens in op de successen die met die regeringsvorm zijn geboekt. Het is voor hem boven iedere twijfel verheven dat de Atheense volksregering 'een fout systeem' was, omdat goede ideeën door de macht van het getal ondergeschikt gemaakt werden aan de willekeur van het gewone volk. Maar omdat de keuze van de Atheners voor de democratie velen van hen grote voordelen opleverde, voelt de auteur zich geroepen om uit de doeken te doen wat de winst voor het volk is. Hij legt uit dat dankzij de verderfelijke democratie het volk de vruchten kon plukken van de op zee gerichte politiek. Zonder de democratie zou de grote massa niet hebben geprofiteerd van de voordelen van de heerschappij ter zee. De opbrengsten van een meer op het land gerichte politiek zouden ten goede zijn gekomen aan de hoplieten, de boerensoldaten die in de slaglinies hun leven voor Athene in de waagschaal stelden, en de aristocraten.

De oude oligarch beschuldigt het volk van lafheid en incompetentie, omdat het in de volksvergadering weliswaar de beslissingen neemt, maar de uitvoering van de besluiten overlaat aan mensen die daar door hun geboorte en hun opleiding beter voor zijn toegerust. Het durft blijkbaar de verantwoordelijkheid voor het gekozen beleid niet zelf te dragen en legt die daarom in handen van anderen. Het onvermogen van het Atheense volk om zaken goed te regelen illustreert de oude oligarch met een korte verhandeling over de wijze waarop het zijn identiteit te grabbel gooit. In zijn tijd was Athene een stad met ongeveer tweehonderdduizend inwoners met een zuiver Atheense achtergrond. Omdat het de stad in de voorgaande zestig jaar goed was gegaan, hadden vreemdelingen uit alle delen van de Griekse wereld (en ook van daarbuiten) zich gemeld om te profiteren van de welvaart van de stad. Sommigen waren niet meer dan passanten, ze kwamen en gingen na hooguit enkele weken weer weg, maar veel vreemdelingen bleven en werden dan aangeduid met de term *metoikoi*, wat zoveel betekent als ‘mensen die van woonplaats veranderen’ of ‘medebewoners’. Velen van hen waren werkzaam in handel en nijverheid, activiteiten die door de Atheners niet hoog werden gewaardeerd, maar wel veel geld konden opleveren. Metoiken werden consequent buiten de democratie gehouden, ze werden niet beloond met het burgerrecht en mochten in Athene ook geen huis of grond kopen. Als tweederangs inwoners waren ze afhankelijk van de grillen van de Atheense volksvergadering. Die scheiding kan de oude oligarch waarderen. Het zit hem dan ook dwars dat de grenzen tussen burgers en vreemdelingen in zijn tijd regelmatig worden opgeheven, dat burgers geen afstand houden tot vreemdelingen, dat ze met hen omgaan en zelfs met hen samenwerken in gemeenschappelijke projecten. De Atheense maatschappij is in dat opzicht volgens hem op hol geslagen. Omdat iedereen er hetzelfde bijloopt, is niet te zien wie burger is en wie metoik.

Nog erger vindt hij het dat Atheense burgers ook het gezelschap van slaven niet mijden. Kun je van de meeste metoiken nog zeggen dat ze Grieken waren, die om economische redenen naar Athene waren gekomen, in het geval van de slaven lag dat volstrekt anders. De overgrote meerderheid daarvan was van niet-Griekse afkomst en kwam uit de landen rond de Zwarte Zee. Hoeveel slaven er in Athene waren vermeldt de oude oligarch niet, maar zelfs de laagste moderne schattingen gaan uit van meer dan twintigduizend. Ze werkten in de landbouw, in de mijnen, en in andere sectoren waar de werkomstandigheden over het algemeen slecht waren. Juridische rechten hadden ze niet of nauwelijks, het hing van hun eigenaars af of ze een enigszins menswaardig bestaan leidden. Bijna niemand in Athene stoorde zich hieraan, men ging ervan uit dat Grieken voorbestemd waren om te heersen en dat barbaren voor onderdanigheid, voor slavernij, waren geboren. Maar in het Atheense straatbeeld was daarvan weinig terug te zien. Slaven trokken op met metoiken en burgers en gedroegen zich bijna als hun gelijken, tot grote ergernis van de oude oligarch. Voor hem was de vrijmoedigheid van de slaven het bewijs dat er iets grondig mis was met de Atheense democratie.

Het is zijn stellige overtuiging dat de democratie een heilloos systeem is, omdat vooral de lagere bevolking ervan profiteert en de aristocraten alleen maar moeten inleveren. In Athene werd echter niet naar zijn woorden geluisterd, de overgrote meerderheid van de burgers omarmde de volksregering, die hen bevrijdde van de zeggenschap van de aristocratie. Pas toen de geradicaliseerde volksvergadering tot gewaagde militaire expedities besloot en successen daarbij uitbleven, begon de stemming om te slaan. Maar tot een afschaffing van de democratie is het niet gekomen. Pogingen daartoe liepen op niets uit. Athene bleef de stad van het volk, al sleten met het verlies aan politieke macht in de Griekse wereld de scherpe kantjes van de democratie af. De kritiek van de oude oligarch en andere tegenstanders van de democratie speelde daarbij opmerkelijk genoeg geen rol. Conservatieve aristocraten konden nog zo hard roepen dat de politieke ontwikkelingen hen niet aanstonden, alleen hun geestverwanten luisterden naar hun klaagzangen. De gewone bevolking was trots op wat er was bereikt. De democratie zou standhouden tot het midden van de vierde eeuw v.Chr., toen de Macedonische koning Philippus II de Griekse stadstaten van hun autonomie beroofde.

De uitgangspunten waarop de Atheense democratie was gegrondvest, gelijkheid voor de wet en het recht om vrijuit te zeggen wat je wilt, zijn nooit verloren gegaan. Maar niemand kan er omheen dat het begrip 'democratie' in de moderne tijd is verwaterd en heel anders wordt geïnterpreteerd dan in het oude Athene. Het grootste verschil is dat de rechtstreekse democratie vervangen is door een representatiedemocratie. In Athene was het ondenkbaar dat een burger zijn recht om in de volksvergadering over het beleid te stemmen aan een ander overliet. De moderne democratieën zijn juist níét gebaseerd op een actieve participatie van alle burgers. Van hen wordt niet verwacht dat ze echt actief zijn in de politiek, ze hoeven niet meer te doen dan op nationaal en lokaal niveau vertegenwoordigers te kiezen die uit hun naam de besluiten doordrukken. Waar Pericles in zijn befaamde lijkrede nog sprak van het politieke oordeel van *alle* Atheense burgers, is er in de moderne democratieën een zekere afstand ontstaan tussen politiek en maatschappij. Beroepspolitici en professionele bestuurders bepalen het beleid.

De gewone burgers hebben de vrijheid zich volledig aan het politieke proces te onttrekken.

De Atheners zouden vermoedelijk hard hebben moeten lachen om de westerse democratieën, vooral om het gemak waarmee regeringsleiders hun staatsbestel democratisch noemen, terwijl iedereen kan zien dat die regeringssystemen zozeer van elkaar verschillen dat ze onmogelijk allemaal als zodanig betiteld kunnen worden. In Nederland zijn we trots op onze parlementaire democratie en koesteren ons in de geruststellende gedachte dat de burgers het uiteindelijk voor het zeggen hebben, met of zonder volksreferendum. Maar als Cleisthenes of Pericles nu in Den Haag zou rondkijken, zou hij zich erover verbazen dat in onze democratie nog altijd plaats is voor een niet rechtstreeks gekozen Eerste Kamer en voor een via overerving aan de macht gekomen koning of koningin die regeringsbesluiten moet goedkeuren.

Het Lenormant-reliëf en het triremeraadsel

In het kleine museum op de Akropolis van Athene waren tot voor kort schitterende sculpturen uit de Archaïsche en Klassieke tijd te bezichtigen. Nu wordt het museum langzaam ontmanteld, men brengt alle kunstvoorwerpen over naar het nieuwe museum aan de voet van de Akropolis. Veel is al van zijn plaats gehaald, ook een klein reliëf van negenendertig bij tweeënvijftig centimeter. Het hing in het laatste zaaltje, vlak bij de uitgang. Toch ben ik er haast zeker van dat de meeste bezoekers het museum hebben verlaten zonder erdoor te zijn getroffen, omdat hun blik waarschijnlijk werd gevangen door de indrukwekkende kariatiden, de beroemde zuilen in de vorm van vrouwenfiguren die ooit de zuidelijke hal van de Erechtheiontempel ondersteunden. Op dit moment ligt het reliëf, opgeborgen in een kist, te wachten op de verhuizing naar zijn nieuwe onderkomen.

Er valt wel enig begrip op te brengen dat het oude museum het reliëf een weinig opzichtige plek had toebedeeld, want de afgebeelde voorstelling oogt allesbehalve spectaculair. We zien een kleine uitsnede van een oorlogsgalei uit het einde van de vijfde eeuw v. Chr. Negen roeiers zijn afgebeeld, met roeiriemen die als schuine diagonale lijnen zijn weergegeven. Vanuit het midden lopen weer andere lijnen parallel aan de bovenste naar beneden, evenals van onderuit het schip. Niet bijster interessant, denkt de argeloze toeschouwer als hij het reliëf onder ogen krijgt, maar daarin vergist hij zich. Het reliëf heeft een geschiedenis te vertellen, waarbij de verhalen van indrukwekkender kunstvoorwerpen uit dezelfde periode verbleken. Het

Het Lenormant-reliëf in het Akropolis Museum in Athene

is niet alleen een mooie herinnering aan een tijd waarin Athene in grote delen van de Griekse wereld de macht had, maar vooral ook een argument, een bewijsstuk haast, in de heftige debatten die geleerden gevoerd hebben over de schepen waarmee het Atheense imperialisme van de vijfde eeuw v.Chr. in de praktijk werd gebracht.

Voorgeschiedenis

Het is verbazingwekkend hoe weinig gegevens over de oorlogsgaleien van het klassieke Athene er tot ons zijn gekomen, minder nog dan over de scheepstypen die in de voorgaande eeuwen op het water waren gebracht en voor Athene van veel geringere betekenis zijn geweest. Die zijn nog eenvoudig aan hun naam te duiden. Zo was de *eikosoros* een schip dat door twintig roeiers werd bemand, en werd de *pentekonter* door vijftig man geroeid. Deze schepen boetten snel aan betekenis in door de komst van het nieuwe oorlogsschip, dat veel sneller en stabieler was dan de bestaande schepen, maar toch kwam er geen informatie op gang. En de naam biedt al evenmin aanknopingspunten. De Grieken hadden het over *trières*, wat zoveel betekent als 'geschikt voor drie', de Romeinen spraken van *triremis*, dat letterlijk vertaald 'met drie roeiers' betekent, en bij ons is het schip bekend onder de naam *trireme*. Welke literaire geschriften, scheepslijsten of inscripties we er ook op nalezen, we stuiten op onvolledige gegevens. Het lijkt er een beetje op dat oude schrijvers niet echt geïnteresseerd waren in de technische details van de trireme, of misschien achtten ze het niet nodig informatie te verschaffen over schepen die hun lezers in vele Griekse havens aan de kades of in boothuizen konden zien liggen.

De klassieke auteurs verhalen vooral over de manoeuvres die met de trireme in een zeeslag konden worden uitgevoerd en vertellen erbij dat de Atheners beter dan de overige Grieken met dit schip overweg konden. Ze bewezen dat voor het eerst in 480 v.Chr. in de Baai van Salamis, waar ze de Perzen een grote nederlaag toebrachten, en hebben in de jaren die daarop volgden laten zien dat hun macht ter zee ongeëvenaard was en geen concurrentie duldde. Acht maanden per jaar gingen hun roeiers de zee op om te trainen. Korte tochten, lange expedities, sprints, tempowisselingen, intervaltests, onderlinge wedstrijden tussen de verschillende triremen, alles werd in die lange periode uitgeprobeerd. Telkens weer, totdat de bemanningen alle facetten van het roeien onder de knie hadden. Door hun langdurige training waren de roeiers, in overgrote meerderheid afkomstig uit de onderste lagen van de Atheense burgerij, in staat tactische manoeuvres als de *diekplous* ('een vaart door de linies heen en er weer uit') en de *periplous* (omsingeling) op sublieme wijze uit te voeren. De Atheense thalassocratie zou zeventig jaar standhouden, totdat de Spartanen er in 405 v.Chr. wreed een einde aan maakten.

Niemand kan met zekerheid zeggen of de eerste triremen in Corinthe, ergens in Egypte of in een van de Phoenicische havens te water werden gelaten. Over de bouwtechnische eigenschappen van de trireme valt evenmin veel zinnigs te vertellen. De antieke auteurs laten het bij de vage constatering dat de trireme snel was; ze verzuimen zelfs de lengte en de breedte van het schip te noemen. Gelukkig geven de in het begin van de twintigste eeuw blootgelegde boothuizen in Piraeus daarvoor een kleine aanwijzing. Ze zijn iets minder dan negenendertig meter lang en iets meer dan zes meter breed, zodat de trireme niet veel langer kan zijn geweest dan zesendertig meter en niet veel breder dan vijf meter. Uit de scheepslijsten in die boothuizen blijkt dat er honderdzeventig roeiers waren, verdeeld over drie categorieën: vierenvijftig *thalamioi*, vierenvijftig *zugioi* en tweeënzestig *thranitai*, maar hoe zij gepositioneerd waren staat er niet bij. Die vraag heeft geleerden beziggehouden vanaf het moment dat in de renaissance de studie van de klassieke oudheid een hoge vlucht nam. Ze hebben het als een uitdaging gezien om 'het raadsel trireme' op te lossen. Was er sprake van drie man die één roeiriem bedienden of was het toch één man per roeiriem? Werd er geroeid van één of van drie niveaus, en als dat laatste gebeurde, hoe zaten de roeiers dan ten opzichte van elkaar?

De eerste onderzoekers, in de zestiende eeuw, gingen uit van de contemporaine galeien uit de late middeleeuwen. Het was een begrijpelijk uitgangspunt. In de geschriften van Zosimus, een geschiedschrijver uit de vijfde eeuw n.Chr., was te lezen dat triremen in de vierde eeuw van onze jaartelling in onbruik waren geraakt. Bij gebrek aan betrouwbare gegevens uit de Griekse en Latijnse literatuur lag een verbinding met voorbeelden van triremen uit de eigen tijd dus voor de hand. De Fransman Gérard Budé was in het jaar 1514 een van de eersten die vanuit de roeiopstellingen op de eigentijdse galeien het roeisysteem van de Atheense trireme trachtte te verklaren. Hij was ervan overtuigd dat de oude Griekse triremen, net als de Venetiaanse oorlogsschepen, van één niveau werden geroeid, volgens het zogeheten *alla sensile*-systeem: drie mannen zaten met elk een riem op één roeibank, waarbij de roeier die het meest naar binnen zat de langste riem had. Merkwaardig genoeg vond de theorie van de Engelsman Henri Savile veel minder weerklank dan de anachronistische benadering van Budé. Savile toonde in 1581 aan dat de galeien uit de zestiende eeuw niets van doen hadden met de triremen uit de klassieke oudheid. Hij was er zeker van dat de trireme van drie niveaus werd geroeid en verwees daarbij naar de beroemde Zuil van Trajanus uit de tweede eeuw n. Chr., waarop een schip met drie rijen roeiers is afgebeeld. Zijn theorieën werden door zijn critici weggehoond. Ze deden zijn niet nader uitgewerkte veronderstellingen af als onmogelijk en baseerden zich daarbij vooral op de zienswijze van Lazare de Baïf, die vijftig jaar eerder had geschreven dat de triremen op de Zuil geen echte triremen uit de oudheid konden zijn, want als een trireme van drie niveaus was geroeid, zou de quadrireme vier rijen roeiers hebben gehad, de quinquereme vijf en de sexireme zes. De discussie leek in de volgende eeuwen te verzanden, omdat bij gebrek aan duidelijke illustraties uit de oudheid de eigentijdse schepen nog altijd als voorbeeld werden genomen.

Het experiment van Napoleon III

En toen, in het midden van de negentiende eeuw, dook tussen de puinhopen van de verwoeste Akropolis ineens dat kleine reliëf met de negen roeiers op. Het staat bekend als het Lenormant-reliëf, genoemd naar de Fransman die het ontdekte. Het is niet meer dan een brokstuk, een deel van een reliëf uit 410-400 v. Chr., waarop een trireme in zijn geheel is afgebeeld. Het fragment betekende een doorbraak in de discussies, want ineens kwamen alle theorieën die ervan uitgingen dat de triremen van één niveau werden geroeid op losse schroeven te staan. De afgebeelde dwarsdoorsnede van de stuurboordzijde van een schip uit de late vijfde eeuw v.Chr. liet immers overduidelijk zien dat de roeiriemen op verschillende niveaus uit de scheepsromp steken, wat alleen maar kon betekenen dat de roeiers in drie rijen boven elkaar moeten hebben gezeten.

Het debat kantelde, de theorieën die uitgingen van drie rijen roeiers boven elkaar kregen steeds meer aanhangers. Literaire bronnen, die op zo'n opstelling hadden gezinspeeld en tot dan toe veronachtzaamd waren, werden nu volop in de discussies betrokken. Vooral een wonderlijke maar veelzeggende mededeling van Aristophanes in zijn komedie *De Kikkers* (1074 e.v.), waarin een van de hoofdpersonen spreekt over een roeier van de *Paralos*, een trireme van Athene, die 'een wind laat in het gezicht van een *thalamios* en zelfs zijn ontlasting uitstort over zijn roeimaat', werd nu regelmatig geciteerd. De uitlating werd beschouwd als een duidelijke aanwijzing dat de *thalamioi* ónder de *zugioi* zaten. Sommigen maakten reconstructietekeningen om hun argumenten kracht bij te zetten.

De spectaculairste interpretatie kwam van Napoleon III, keizer van Frankrijk. Als staatsman en militair mag hij omstreden zijn geweest, hij had een grote culturele belangstelling. Hij nam onder meer het initiatief voor de opgraving van de stad Alesia, hét symbool van de vrijheidsstrijd van de Galliërs tegen de Romeinse veroveraar Julius Caesar. Maar zijn opvallendste 'wetenschappelijke daad' was ongetwijfeld de bouw van een trireme. Om dat plan te realiseren riep hij de hulp in van twee deskundigen: de classicus Auguste Jal en de scheepsarchitect Stanislas Henry Laurent Dupuy de Lôme. Nog voordat Jal goed over de haalbaarheid had kunnen nadenken, kwam Dupuy de Lôme al met een bouwtekening. Dat was in juli 1860. Nauwelijks zeven maanden later, op 9 maart 1861, werd het schip, dat moest doorgaan voor een getrouwe kopie van een trireme, in Asnières te water gelaten. Een naam kreeg het schip niet. Het werd in de boeken beschreven als *bâtiment speciale*, een speciaal bouwsel. Deze trireme was 39,25 meter lang, 5,5 meter breed en het dek lag drie meter boven de waterlijn. Er waren geen honderd zeventig roeiers aan boord, zoals in de oude bronnen wordt aangegeven, maar slechts honderd dertig; tweeënveertig op de onderste rij, vierenveertig op de middelste roeibanken en vierenveertig op het hoogste niveau. De twee bovenste rijen zaten op het dek, de onderste rij benedendeks. De roeiriemen hadden niet allemaal dezelfde lengte, zoals de bronnen suggereren, die van de hoogst gezeten roeiers waren het langst. Napoleon III was opgetogen over het resultaat. Op 24 maart 1861 maakte hij samen met zijn echtgenote een proefvaart mee op de Seine, van Pont de Saint Cloud naar Pont de Neuilly, en weer terug. Uit een verslag van deze reis blijkt dat de keizer tevreden was over de prestaties van de trireme. Met de stroom mee haalden de honderd dertig roeiers een snelheid van 5,5 knopen (ca. negen kilometer per uur). Ze zouden in een perfecte gelijkheid hebben geroeid.

Hoe mooi het schip in de ogen van de keizer ook was, het raakte vrij snel in de vergetelheid en werd enkele jaren later over de Seine verscheept naar Cherbourg en daar in een hoekje van de haven weggestopt. Niemand lette er nog op. Kwam dat omdat dit bouwsel door de geleerden die nog altijd op zoek waren naar de geheimen van de oude trireme, als een onbetrouwbare reconstructie werd genegeerd? Of zag de regering van de nieuwe Republiek dit schip als een statussymbool van het keizerschap van Napoleon III? We weten het niet. Feit is dat deze trireme snel van het toneel verdween, op een manier die het schip onwaardig was. Op 13 november 1875, nog maar veertien jaar na de tewaterlating, kreeg de marinecommandant in Cherbourg opdracht van de minister van Defensie om het schip te vernietigen. Er staat letterlijk in de brief die hij daartoe ontving dat het schip het doelwit van torpedo's moest worden. Het is niet te achterhalen of het zover gekomen is. Er zijn twee lezingen: volgens de ene ging de trireme inderdaad de lucht in, volgens de andere rotte het schip al snel weg in de haven van Cherbourg. In ieder geval was het in 1878 al verdwenen. Napoleon heeft het einde van zijn geesteskind niet meer meegemaakt. Hij stierf twee jaar voor het schip verging.

De strijd gaat door

In wetenschappelijke kring is altijd meewarig gesproken over de trireme van Napoleon III. Het schip werd afgedaan als een publiciteitsstunt van een megalomane keizer. Maar van eensgezindheid over de vraag hoe de trireme er dan wel had uitgezien was geen sprake. Niet alle geleerden bleken onder de indruk van de roeiopstelling op het Lenormant-reliëf. Het meest sceptisch was de gezaghebbende Engelse oudhistoricus W.W. Tarn. In het begin van de twintigste eeuw betoogde hij dat het schip op het reliëf onmogelijk op drie niveaus kon zijn geroeid, omdat de riemen dan van ongelijke lengte zouden moeten zijn geweest, waardoor het schip onmogelijk te roeien was. Het stond voor hem vast dat de trireme geroeid werd volgens het *alla sensile*-systeem, met de *thranitai* op het achterschip, de *zugioi* in het midden en de *thalamioi* op het voorschip. Maar zijn theorie kon gemakkelijk worden weerlegd, al was het alleen al omdat het schip dan veel langer zou zijn geweest, ongeveer achtenveertig meter, en niet in de boothuizen van Piraeus zou hebben gepast.

De felste criticus van Tarn werd de jonge classicus John Morrison. In een spraakmakend artikel toonde hij in 1941 overtuigend aan dat op een trireme elke roeier één riem bediende, dat er drie verschillende niveaus waren, en dat alle riemen dezelfde lengte hadden, met uitzondering van de riemen aan de smallere uiteinden van het schip, precies zoals Aristoteles beweerde, waarbij hij de vergelijking had gemaakt met de vingers van een hand. Toen Tarn zeer kritisch op het artikel reageerde, dichtte Morrison de volgende regels:

I do not like thee, doctor Tarn.
Though men are old, they still must learn.
In spite of you my trireme floats
And so shall all my other boats.

Ruim veertig jaar moest hij wachten, tot hij zijn ideeën over een van drie niveaus geroeide trireme eindelijk in praktijk kon brengen. In die lange jaren slaagde hij erin velen voor zijn theorie te winnen, maar er bleven geleerden die zich niet lieten overtuigen en volhielden dat het Lenormant-reliëf niet de sleutel was om het raadsel van de roeiopstelling op te lossen. Als antwoord op de kritiek besloot Morrison rond 1980 om een trireme te bouwen op ware grootte. De reacties van zijn tegenstanders logen er niet om. Hun belangrijkste verwijt was dat de beschikbare gegevens volstrekt onvoldoende waren voor een 'nieuwe trireme'. Er waren nooit substantiële resten van een oude trireme gevonden die een reconstructie rechtvaardigden. Morrison trok zich weinig van de kritiek aan en zette zich, gesteund door Engelse en Griekse geldschieters, samen met de scheepsarchitect John Coates aan de voorbereidingen voor de bouw van wat in zijn ogen een zo getrouw mogelijke replica van de Atheense trireme moest worden.

Betrouwbare replica of drijvende hypothese?

De bouw duurde langer dan gedacht. Op 26 augustus 1987 ging Morrisons droom in vervulling en kon de nieuwe trireme, *Olympias* genaamd, in de haven van Piraeus officieel te water worden gelaten. De Griekse minister van cultuur Melina Mercouri gewaagde er in haar toespraak van dat Morrison Athene zijn trots uit de tijd van de klassieke democratie had teruggegeven. Het schip riep alom bewondering op, want met een lengte van bijna 36 meter en een grootste breedte van 5,55 meter bood het een haast pijlvormige aanblik. Morrison werd geprezen om zijn doorzettingsvermogen. Maar na de euforie van de eerste weken kwam het moment van de waarheid en moest Morrison aantonen dat zijn geesteskind meer was dan een drijvende hypothese, zoals zijn critici beweerden. Volgens hen vertelde het schip, dat was gebouwd op basis van een moeilijk te interpreteren afbeelding op een klein reliëf, op enkele vaasschilderingen en op spaarzame literaire en epigrafische teksten, meer over de scheepsbouwers dan over de trireme.

In die redenering schuilt een kern van waarheid. Morrison en Coates hebben inderdaad keuzes moeten maken die niet ondersteund worden door informatie uit de oudheid. Het begon al met de te gebruiken houtsoorten. Met uitzondering van Theophrastus (derde eeuw v.Chr.), die nadrukkelijk vermeldt dat de huidgangen van oorlogsschepen van grenen- en sparrenhout waren gemaakt en dat de kielbalk van eikenhout was, doen de antieke auteurs daarover geen mededelingen. Een nog groter probleem vormde de constructie zelf, omdat de in de oudheid gehanteerde methode (eerst de huidgangen, en pas daarna het definitieve spantenframe: de 'shell first'-methode) in onbruik was geraakt. Waar de oude scheepsbouwers in een jaar vele tientallen triremen konden bouwen, moesten hun moderne collega's een bouwmethode onder de knie krijgen waarmee ze niet vertrouwd waren. Begonnen werd met het pasklaar maken van een lange houten kielbalk van ongeveer zeventien meter, waaraan de voor- en achterkiel, die zachtjes oplopen naar de voor- en achtersteven, werden 'gelast'. Vervolgens werden de onderste huidgangen zo aangebracht dat ze hier precies inpasten. Hierna werd de huid plank voor plank met pen- en gatverbindingen opgebouwd. Na het voltooien van de scheepshuid konden de definitieve spanten worden aangebracht.

Daarna kwam het moeilijkste onderdeel van de bouw: de positionering van de roeiers. Onderin, vlak boven de waterlijn, kwamen de roeibanken voor de vierenvijftig *thalamioi* (zevenentwintig aan stuurboord en zevenentwintig aan bak-

De trireme Olympias

boord). Om te voorkomen dat water naar binnen stroomde waren hun roeiriemen ter hoogte van de roeipoorten omgeven met grote leren manchetten. Schuin daarboven zaten de vierenvijftig *zugioi* en daar weer boven de tweeënzestig *thranitai*, die niet te hoog konden worden geplaatst omdat ze dan ofwel heel lange roeiriemen moesten hebben of onder een grote hoek zouden moeten roeien. Zij werden daarom meer buitenwaarts geplaatst in een soort uitleggerconstructie, door de oude auteurs *parexeiresia* genoemd, die iets boven het dolboord ongeveer vijfendertig centimeter uitstak over de volle lengte van het schip. Alle roeiriemen waren even lang, ongeveer 4,20 meter, met uitzondering van de riemen dicht bij de voor- en achtersteven, die iets korter waren.

Voor de constructie van de ram, hét wapen van de trireme, konden de ontwerpers zich richten op het bij Athlit (Israël) op de zeebodem gevonden exemplaar, dat weliswaar afkomstig was van een groter schip dan de trireme, maar uitstekend liet zien hoe een ram in de oudheid was geconstrueerd: een zware, massief eiken balk, die geheel was bekleed met brons. Omdat triremen in de oudheid ook werden gezeild, mochten de twee masten en de twee razeilen niet ontbreken. Het grote zeil werd tijdens patrouilletochten bij gunstige wind gehesen, maar tijdens zeeslagen werd alleen de kleine voormast en het daarbij behorende zeil aan boord genomen om na de gevechtshandelingen vijandige schepen te kunnen achtervolgen of juist te ontlopen. Omdat de afmetingen van de masten en de zeilen nergens worden vermeld, moesten die door Morrison en Coates zelf worden ingeschat. Gekozen werd voor een hoofdmast van 11,2 meter met een grootzeil van vijfennegentig vierkante meter en een kleine mast met een zeil van ca. vijfentwintig vierkante meter.

De proefvaarten moesten aantonen dat Morrison en Coates de juiste beslissingen hadden genomen en dat hun schip tot dezelfde prestaties in staat was als de oude triremen in de oorlogsverslagen van Thucydides en andere klassieke auteurs. De ontwerpers realiseerden zich maar al te goed dat als het schip niet door honderd zeventig man tegelijk kon worden geroeid, de kritiek van de sceptici niet mals zou zijn. Tot hun geruststelling bleek dat het inderdaad mogelijk was om *Olympias* van drie niveaus te roeien. Maar de testresultaten vielen in zoverre tegen dat er slechts een topsnelheid van zeven knopen (ongeveer dertien kilometer per uur) kon worden gehaald, en dan nog slechts gedurende enkele seconden, terwijl door Thucydides gesproken wordt over kruissnelheden van acht tot negen knopen en een topsnelheid van bijna elf. Er zijn hiervoor diverse verklaringen aan te voeren, die voortvloeien uit de aannames van de ontwerpers en de geringe vertrouwdheid met de oude bouwmethoden. Het belangrijkste manco is dat er te weinig ruimte was voor de roeiers, zelfs voor de kleinere roeiers van 1,60 meter. Morrison en Coates gingen ervan uit dat de Atheense scheepsbouwers gebruik hadden gemaakt van de Attische el (44, 4 cm), terwijl de in werkelijkheid door antieke scheepsbouwers gebruikte langere Solonische el (49 cm) de roeiers, vooral de *thalamioi*, meer armruimte had gegeven. Omdat volgens de oude bronnen de roeiers op twee el afstand van elkaar zaten, was aldus een extra ruimte van tien centimeter gecreëerd. Ook de constructie van de huidgangen had een remmende werking. De pen- en gatverbindingen, cruciale elementen in de constructie van de huid, waren losser, minder sluitend dan gedacht, aangebracht. Daardoor zijn de huidgangen gaan schuiven, op sommige plaatsen meer dan een millimeter, zodat in de rail van de uitleggerconstructie een buiging is ontstaan van maximaal zestig millimeter.

Bijna acht jaar heeft *Olympias* op de Aegeïsche Zee gevaren, daarna werd het stil. Slecht onderhoud door de Griekse marine, aan wier zorgen het schip was toevertrouwd, heeft ervoor gezorgd dat *Olympias* werd aangevreten door paalwormen en andere micro-organismen en uit het water moest worden gehaald. Nu ligt het schip opgekalefaterd op de wal in de historische scheepshaven van Piraeus. De vraag wie er nu gelijk heeft gekregen is niet afdoende te beantwoorden. Het triremeproject heeft bewezen dat het mogelijk is om op basis van spaarzame gegevens een schip te bouwen dat doet denken aan de oude triremen. Er zijn vragen beantwoord die op geen andere manier beantwoord hadden kunnen worden. Het academische debat heeft door de experimenten een nieuwe dimensie gekregen. De critici die riepen dat het bouwconcept niet deugt en dat het roeisysteem onwerkbaar zou zijn, hebben geen gelijk gekregen. Maar daarmee is niet gezegd dat *Olympias* een getrouwe kopie is van de triremen die in de vijfde eeuw in Athene werden gebouwd. Daarvoor zijn er nog te veel vragen open gebleven.

Het Lenormant-reliëf wordt binnenkort overgebracht naar het nieuwe Akropolis-museum. Hopelijk krijgt het daar een prominente plaats. En ongetwijfeld zal er ooit weer een jonge geleerde oog in oog komen te staan met die negen roeiers op het reliëf en zich net als Morrison afvragen of dit reliëf de sleutel is tot de oplossing van het raadsel van de roeiopstelling op de trireme. Misschien zal ook hij zijn theorieën in de praktijk willen toetsen en een nieuwe trireme op ware grootte op het water brengen. Nog mooier zou het zijn als er ooit restanten van een oude Griekse trireme op de zeebodem of in dichtgeslibde vlakten of moerassen rond de Aegeïsche Zee gevonden zouden worden, met nieuwe informatie over de roeiopstelling. Dan zal het wetenschappelijke debat een enorme impuls krijgen, zoals anderhalve eeuw geleden de ontdekking van het Lenormant-reliëf het startsein vormde voor een felle richtingenstrijd. Wie weet welke replica dan te water zal worden gelaten?

‘Athene uitleveren aan de Perzen? Dan liever de dood!’

Op 21 september 480 v.Chr. werd bij Salamis een van de meest gedenkwaardige zeeslagen uit de wereldgeschiedenis uitgevochten. Bijna negenhonderd schepen van de Perzen namen het op tegen ruim driehonderd schepen van de Grieken. Tot verbazing van velen wonnen de Grieken. Hun vlootvoogd Themistocles was de grote held, de Perzische koning Xerxes, die vanaf een hoge zetel in de bergen van Attica de nederlaag aanschouwde, de grote verliezer. Toen kort daarop ook zijn gedemoraliseerde landleger bij Plataea een nederlaag leed, moesten de trotse Perzen naar huis terugkeren.

Xerxes bleef ondanks het grote echec tot zijn dood in 465 v.Chr. koning van het Perzische rijk. Het heldendom van de Athener Themistocles was van korte duur. Was zijn ster te hoog gestegen en riep hij daardoor de jaloezie op van zijn medeburgers? Wat er in de jaren na ‘Salamis’ precies misging met Themistocles is moeilijk te achterhalen, zeker is alleen dat hij omstreeks 474 v.Chr. gedwongen werd Athene te verlaten. Wat weinigen voor mogelijk zullen hebben gehouden gebeurde: hij vluchtte na lange omzwervingen naar het Perzische hof, waar hij door koning Artaxerxes, Xerxes’ zoon, gastvrij werd onthaald. Het moet voor hem een vernederende ervaring zijn geweest, dat hij zijn toevlucht moest zoeken bij een koninklijke familie die hij het grootste trauma uit haar geschiedenis had bezorgd.

Hoe zou Themistocles bijna twintig jaar na ‘Salamis’ hebben teruggeblikt op die gedenkwaardige eenentwintigste september, die voorkwam dat Griekenland een onderdeel werd van het Perzische rijk en zodoende zijn eigen normen en waarden kon blijven koesteren, maar die tegelijk het einde van zijn carrière inluidde? Om op die vragen een antwoord te vinden zocht een anonieme Atheense journalist Themistocles op in Sardes, in Phrygië, waar hij op dat moment een Perzische satraap van advies diende.

Ik bevind mij in een van de salons van een immens paleis en ben in afwachting van de komst van Themistocles. De hele entourage, die sfeer van grandeur en voornaamheid, is imposant maar straalt ook trots uit en arrogantie. De marmeren vloeren, de bontgekleurde wandtapijten, de fraai gevormde leunstoelen, het is voor een eenvoudige journalist als het betreden van een andere wereld. Wat heb ik er allemaal wel niet voor moeten doen om hier binnen te mogen komen. Aanvankelijk kreeg ik helemaal geen toestemming van de Perzische autoriteiten. En toen ik de vergunningen eenmaal binnen had, duurde het nog bijna een half jaar voordat ik kon afreizen. Maar zelfs vanaf dat moment ging het nog niet gemakkelijk. Hoewel ik onder Perzisch escorte reisde werd ik toch nog verscheidene malen gecontroleerd. De vijandige blikken van politie en soldaten leerden me dat de nederlagen in Griekenland nog altijd niet waren verwerkt.

Verbitterd

'Mooi hè,' hoor ik ineens achter me. Ik draai me om en kijk Themistocles recht in het gezicht. Hoewel hij al tegen de zestig loopt, heeft hij zijn jeugdige uitstraling en dwingende oogopslag behouden. Ik heb hem jaren geleden een paar keer ontmoet en het valt me op hoe weinig hij is veranderd. Tegenslagen maken een mens dus niet altijd ouder. Alleen zijn haar is grijzer geworden en hij begint een beetje kaal te worden. Hij geeft me een stevige hand en kijkt me met zijn grijsblauwe ogen doordringend aan. Het is de blik van een man die gewend is de regie in handen te nemen, ook in minder gemakkelijke situaties.

Het lijkt erop dat hij hier zijn evenwicht heeft hervonden. Maar dat is slechts schijn, want als ik hem, misschien wat te

Themistocles (Foto Werner Forman/CORBIS)

direct, vraag of hij vaak terugdenkt aan de dag waarop de slag bij Salamis plaatsvond, vertrekt zijn gezicht zich tot een pijnlijke grimas en krijgt hij een verbeten trek om zijn mond. Voor me staat een man die zich na zoveel jaren nog altijd beledigd en geschoffeerd voelt door de autoriteiten van zijn geboortestad.

'Er gaat geen dag voorbij dat ik niet aan "Salamis" denk,' steekt hij zonder verdere inleiding van wal. 'Steeds weer zie ik de glorieuze beelden voor me van Atheense schepen die de Perzische vloot in de pan hakken. Ik weet dat het geschiedenis is geworden en dat je niet te lang bij het verleden moet stilstaan, maar wat daar gebeurde was uniek. En nu denkt bijna iedereen in Athene dat het de gewoonste zaak van de wereld was dat wij de Perzen versloegen. Ze vergeten dat het gemakkelijk heel anders had kunnen lopen. En ik ben er zeker van dat het ook was misgegaan als ik er niet was geweest.'

Hij glimlacht meewarig. Het is de lach van een zwaar gefrustreerde man, die meent het gelijk aan zijn zijde te hebben maar het niet heeft gekregen. Ik zwijg en denk na over een vraag, maar Themistocles is me voor. 'Wanneer ik niet begonnen was Athene om te vormen tot een toonaangevende vlootnatie, had Griekenland nu gezucht onder een Perzisch juk.'

Ik ken het verhaal, ik heb het vaak gehoord, ook van vooraanstaande Atheners die volmondig moesten toegeven dat Themistocles een vooruitziende blik had. Maar zijn gepoch op zijn prestaties maakte hem eerst tot een *outcast* en later tot de meest gehate man van Athene. Ik zie dat mijn gesprekspartner er duidelijk behoefte aan heeft om het allemaal nog eens te vertellen. En ook al weet ik zeker dat veel van wat hij gaat zeggen mij al lang bekend is, houd ik hem niet tegen. Want ik weet uit ervaring: als het gesprek hem niet zint, zal hij er ogenblikkelijk een einde aan maken.

Scheepsbouwprogramma

Themistocles vertelt zijn verhaal. Aanvankelijk is hij zeer breedsprakig en praat in lange toonloze zinnen. Ik krijg alle details te horen over de ontdekking van zilver in de mijnen van Laurium en over de enorme hoeveelheden ervan die werden gedolven en naar Athene gebracht. Opeens verheft hij zijn stem: 'Een aantal politici wilde een wit voetje halen bij het gewone volk en stelde voor om iedere Athener een geldbedrag te geven. De domkoppen! Moet je je voorstellen, in een oorlogssituatie!

Ik was tegen die uitdeling en koos ervoor om de opbrengsten te bestemmen voor een groots opgezet scheepsbouwprogramma. Alleen met een vloot kon Athene de Perzen buiten de deur houden. Maar mijn tegenstanders bleven maar doordrammen. Merkwaardig, want je moest wel ziende blind zijn om niet in de gaten te hebben dat de dreiging van de Perzen met de dag groter werd en dat we gewoon niet genoeg soldaten hadden om het tegen hun landleger op te nemen. Maar veel aristocraten waren bang voor gezichtsverlies, omdat het gewone volk, dat nog van hen afhankelijk was, nu een eigen bestaan zou kunnen opbouwen. Ze zouden gaan werken op de scheepswerven en zouden als roeiers op de vloot een actieve rol kunnen spelen in de verdediging van Griekenland. En dus probeerden ze hen te verleiden met cadeautjes.'

'Bent u nooit bang geweest dat het scheepsbouwprogramma een mislukking zou worden?' vraag ik. 'Nooit,' is zijn stellige antwoord. 'Ik wist in wat voor benarde omstandigheden de gewone Atheners leefden. Ze hadden nauwelijks werk en moesten maar afwachten of de rijken hun wat wilden toeschuiven. Daarom was ik er zeker van dat de bereidwilligheid onder de armen groot zou zijn. En daarin vergiste ik mij niet. Met een overweldigende meerderheid nam de volksvergadering mijn voorstel aan. Het volk voelde gewoon dat er iets groots stond te gebeuren. Massaal meldde men zich aan. Ik voelde de boze blikken van de rijke Atheners wel, maar wat konden ze doen. Niets. Athene onderging een metamorfose. De stad was binnen de kortste keren een en al bedrijvigheid, overal schoten scheepswerven en werkplaatsen op. Iedereen die een hamer, beitel of zaag kon vasthouden werd ingezet. Er heerste een sfeer van saamhorigheid.

De democratie, bijna dertig jaar eerder geïntroduceerd en tot dan toe een broos geheel, kreeg nu een gezicht, omdat de armste burgers, die hun mond nooit open hadden gedaan, nu in de volksvergadering voor hun mening durfden uit te komen. Vier maanden nadat het scheepsbouwprogramma was begonnen, werden de eerste schepen te water gelaten. Een jaar later waren er al meer dan honderd. Toen begonnen ook de oefeningen op zee. Iedere dag werd er vier tot zes uur geroeid, en de vorderingen waren goed zichtbaar.

Twee jaar later werd ons groeiende zelfvertrouwen op de proef gesteld. De eerste berichten over de Perzische oorlogsdreiging sijpelden binnen. De Perzen waren in aantocht met een landleger van meer dan een miljoen mensen en een vloot van ruim twaalfhonderd oorlogsschepen, die ze hadden laten bouwen door overwonnen volken met een nautische traditie. De angst sloeg ons om het hart. Wat konden wij met onze driehonderd schepen, honderd vijftig uit Athene en honderd vijftig van de bondgenoten, uitrichten tegen zo'n overmacht? We wisten de Perzen in de buurt van Artemisium ongeveer een maand op te houden, maar toen hun landleger de Pas van Thermopylae veroverd had, moesten we ons terugtrekken en kozen we positie in de wateren rond Salamis. Daar wachtten we op hun komst.'

Maar toen kreeg u problemen met de andere Griekse leiders?

'Praat me er niet van. Als het aan mij had gelegen hadden we de Perzen toen ze onderweg waren naar Salamis al direct, bij verrassing, aangevallen. Maar de vlootvoogden van de verschillende steden waren daarop tegen. Belachelijk! Vertegenwoordigers van stadjes die maar een paar schepen inbrachten waagden het mij tegen te spreken. Ze pleitten ervoor om een confrontatie met de Perzen uit de weg te gaan en de wijk te nemen naar een veilig oord achter de Isthmus van Corinthe. Maar dat zou betekenen dat Midden-Griekenland, en dus ook Athene, definitief werd prijsgegeven. Het is toch niet te geloven. Met de mond de verbondenheid van alle Grieken belijden, maar in werkelijkheid de Atheners, die voorgingen in de strijd, laten vallen. Ik verzette me hevig. Ik maakte hen uit voor alles wat mooi en lelijk was. Uiteindelijk won ik het pleit, met een gloedvol betoog, dat mag ik best zeggen. Ik speelde blufpoker toen ik liet doorschemeren dat de Atheners er niet voor zouden terugdeinzen om, wanneer hun stad zou worden prijsgegeven aan de Perzen, iedere willekeurige andere stad in Griekenland als nieuwe woonplaats op te eisen. Dat brak hun verzet.'

Was u niet bang dat u met uw voorstel om te vechten het grootst denkbare risico nam? De vloot van de Perzen was immers bijna vier keer zo groot als die van de verenigde Grieken.

'Natuurlijk wist ik dat, maar wat kon ik anders? Athene uitleveren aan de Perzen? Dan liever de dood! Ik bleef maar piekeren over een oplossing en kwam er aanvankelijk niet uit. De uitkomst was dat alleen een list ons kon redden. Ik had een trouwe bediende, Sikinnos. Hij was een Griek, maar had lang in Perzië gewoond. Hij sprak de taal. Hem stuurde ik naar koning Xerxes met een brief, waarin ik het volgende, ik weet het nog letterlijk, had geschreven: "Ik ben, buiten medeweten van de andere vlootvoogden, door Themistocles naar u toe gestuurd om u te vertellen dat de Grieken van plan zijn om door de Straat van Megara naar veiliger plaatsen achter de Isthmus te vluchten. Zij zijn het namelijk onderling oneens en kunnen geen overeenstemming bereiken over de te volgen strategie." Ik had de jongen ook bevolen tegen de koning te zeggen dat ik eigenlijk wilde dat hij de overwinning behaalde.'

Wat vonden de andere vlootvoogden ervan? Maakte niemand er bezwaar tegen?

'Nee, om de eenvoudige reden dat ik het ze niet had verteld. Ik deed het in het diepste geheim. Hoe meer mensen ervan wisten, des te riskanter was de onderneming. Nu denk ik wel eens dat ik het ze wel had moeten vertellen, maar op dat moment had ik er geen enkel vermoeden van dat mijn politieke tegenstanders deze missie ooit zouden aangrijpen als bewijs voor hun stelling dat ik toen al geen loyaal burger van Athene was.'

'De valse informatie werkte uitstekend. Xerxes geloofde het verhaal zonder meer en ondernam onmiddellijk actie. Hij gaf opdracht de schepen de zee op te sturen, zodat de Grieken niet zouden kunnen ontsnappen. Ik weet nog precies welk vlootonderdeel waar kwam te liggen.' Themistocles glimlacht en pakt een schrijfstift. Zonder iets te zeggen begint hij op een stuk perkament de Baai van Salamis en de omgeving te tekenen en geeft met een paar kruisjes aan waar de Perzische vlootonderdelen lagen.

'In de nacht voor de confrontatie konden we dankzij de heldere maan precies zien waar de Perzische schepen lagen. Toen de zon opkwam, waren de Perzen er nog steeds van overtuigd dat wij wilden vluchten. Maar hoe dieper hun schepen de baai invoeren, des temeer drong het tot hun bemanningen door dat de werkelijkheid niet was zoals hun vlootvoogden hun die hadden voorgespiegeld. Nog voordat ze onze schepen konden zien, hoorden ze onze krijgsliederen opklinken. En voordat ze wisten wat er aan de hand was, doken plotseling onze schepen voor hen op. Wilden ze de baai in, dan moesten ze vechten. Op de nadering van de Perzische vloot roeiden onze mannen langzaam achteruit, alsof ze alsnog op de vlucht sloegen. Maar dat was natuurlijk schijn. Ze roeiden achteruit om zoveel mogelijk vijandelijke schepen de baai in te lokken. Hoe meer schepen in de baai, hoe minder ruimte er was om te manoeuvreren, en dat was in het nadeel van de grote Perzische vloot.'

Toen begon de grote afrekening?

'Dat kun je wel zeggen. Toen er naar mijn zin voldoende Perzische schepen in de baai waren en de aanlandige wind de schepen, die zo dicht op elkaar lagen dat de roeiriemen nauwelijks meer te gebruiken waren, in onze richting dreef, gingen wij tot de aanval over. De strijd barstte in alle hevigheid los. Meteen werd duidelijk dat onze trainingen niet voor niets waren geweest. We braken door de vijandelijke linies heen en ramden hun schepen. Hun formatie raakte volkomen ontregeld. Bij het zien van de chaos probeerden de kapiteins rechtsomkeert te maken en terug te varen. Maar dat lukte niet, omdat de achterhoede, die de bedreigde eerste linie te hulp wilde komen, nog altijd naar voren roeide. Er ontstond een enorme paniek. Veel Perzische schepen kwamen klem te zitten tussen onze rammende schepen en de rest van de eigen schepen die vanuit de achterhoede naar voren oproeiden. Een deel wist uiteindelijk uit het krijgsgewoel te ontkomen, maar werd op de terugtocht door schepen van ons, die een omtrekkende beweging hadden gemaakt, aangevallen en tot zinken gebracht. In totaal verloren de Perzen tweehonderd schepen, wij veertig. Hun dodenaantal schat ik op veertig- tot vijftigduizend.'

En daarna werd u in triomf in Athene binnengehaald?

'Inderdaad, de ontvangst in Athene was grandioos, om nooit te vergeten. Duizenden Atheners juichten mij toe toen ik op een door vier paarden getrokken wagen naar de Akropolis reed en een dankgebed uitsprak voor de godin Athena. Mijn populariteit kende geen grenzen. Overal waar ik kwam werd ik als een held begroet. Bij de Olympische Spelen was ik eregast en werd toegejuicht door alle Grieken. Maar niets is veranderlijker dan de mens. De euforie duurde maar kort, een paar maanden, niet meer. Het was bitter te moeten ervaren hoeveel jaloezie een complete overwinning losmaakt. Ik was te hoog gestegen en stond daardoor de carrière van anderen in de weg. Ik kan het niet anders interpreteren. Mijn politieke tegenstanders moeten hebben getandenknarst bij het vooruitzicht dat de roeiers, voorheen arme Atheners die zij niet hadden zien staan en voor wie ze alleen maar minachting hadden gevoeld, nu in de volksvergadering de dienst gingen uitmaken. Niet de mening van de aristocraten zou doorslaggevend zijn, maar die van het volk.

Het zou zelf initiatieven kunnen nemen en zijn stem laten horen. De slimste aristocraten wisten wat hun te doen stond. Een terugkeer naar het oude bestel was niet meer mogelijk, dus pasten ze zich aan de nieuwe situatie aan en deden ineens alsof ze hun hele leven democraat waren geweest. Zo konden ze het volk blijven bespelen.'

Toen volgde de grote deceptie?

'Politici buitelden over elkaar heen om het volk voor zich te winnen. Aristides is daarvan het beste voorbeeld. Ik had hem nooit op enige democratische gedachten kunnen betrappen, maar nu wierp hij zich ineens op als de leider van het volk. Je had hem moeten horen in de volksvergadering. De vrijheid van Griekenland, de bescherming van de eigen identiteit, de materiële welstand van de burgers... Je kunt het zo gek niet bedenken of hij had er wel over nagedacht. Ik moest toezien hoe de poten onder mijn stoel werden weggezaagd, hoe de aristocraten mij links lieten liggen en, erger nog, hoe het gewone volk, tevreden met de nieuw verworven "welstand", zijn weldoener vergat.'

Was dat het begin van het einde voor u?

'Dat kun je wel zeggen. Ik kreeg de ene na de andere valse beschuldiging over me heen. Maar ik mocht me er niet tegen verweren. De autoriteiten waren bang dat ik het volk van mijn gelijk zou weten te overtuigen. Misschien dat geschiedschrijvers de waarheid ooit naar boven zullen halen, maar ik heb daar een hard hoofd in, want de Atheners zullen de rijen sluiten en zeggen en schrijven dat mijn val mijn eigen schuld was. Ze zullen vertellen dat ik uit was op de alleenheerschappij en dat ze daarom tegen mij de procedure van het schervengericht in werking stelden. Twee keer mislukte hun opzet en waren er niet genoeg stemmen om mij te verbannen, maar de derde keer hadden ze het tot in de puntjes voorbereid. Ze vertelden het volk dat ik fout was, een Perzenvriend, en alleen maar uit was op eigen voordeel. En het werkte, het volk liet mij vallen. Het is niet te beschrijven hoe ellendig ik mij voelde toen ik mijn stad moest verlaten. Ik, de redder van Athene, moest nu als een dief in de nacht in alle stilte wegsluipen. Ik vluchtte naar Argos, waar ik hoopte te kunnen werken aan mijn terugkeer. Maar zelfs daar lieten de Atheners mij niet met rust. Ik bleef een potentieel gevaar, dat geëlimineerd moest worden. Kon het niet met legale middelen dan maar op een vuile manier. Ze stuurden gezanten door heel Griekenland met het verhaal dat ik samen met de in ongenade gevallen Spartaanse koning Pausanias geheuld had met de Perzische koning Xerxes. Ze wilden mij arresteren, maar ik was op tijd gewaarschuwd en kon vluchten. In veel steden vroeg ik asiel, maar de angst voor Athene zat er blijkbaar zo diep in dat ze allemaal weigerden. Ik was nergens welkom. Uiteindelijk belandde ik bij de Molossiërs, in het noordwesten. Koning Admetos nam mij op. Ondanks herhaalde verzoeken van de Atheners weigerde hij mij uit te leveren. Maar omdat ik de kans groot achtte dat zij mij toch zouden weten te vinden, trok ik de bergen over naar Macedonië en vond daar een schip met bestemming Ionië. Na een uiterst hachelijk moment, waarin het er even op leek of het schip in zwaar weer zou afdrijven naar de Atheense vloot die bij Naxos oefeningen hield, bereikten we Ephese. Daarvandaan reisde ik verder naar het oosten, passeerde de grens van het Perzische rijk en bereikte Sardes, waar ik me meldde bij de plaatselijke satraap.'

Met uw vlucht naar het Perzische rijk laadde u toch op zijn minst de verdenking op u dat u goede relaties met de Perzen onderhield?

Themistocles ontploft bijna bij mijn vraag. 'Geeft u, meneer de journalist, mij maar eens een alternatief! Had ik iets anders kunnen doen? Niemand in de Griekse wereld wilde mij hebben!

Iedereen was bang voor de wraak van Athene. Moest ik mij dan zo maar laten afslachten en de geschiedenis ingaan als de man die zijn vaderstad had verraden? Hier heb ik tenminste nog de mogelijkheid om aan mijn verdediging te werken, al geloof ik niet dat de Grieken mij ooit zullen geloven.' Hij lacht bitter en trommelt nerveus met zijn vingers op het tafelblad.

Was u niet bang dat de Perzen u meteen zouden inrekenen voor wat u hen vijftien jaar eerder had aangedaan?

'Ik was mij er terdege van bewust dat de Perzen mij gevangen zouden kunnen nemen, of executeren, maar ik wist ook dat zij groot leiderschap waarderen. En bovendien: ik sterf liever in Perzische gevangenschap dan door de handen van jaloerse medeburgers. Ik gaf mij over aan de Perzische autoriteiten en stuurde onmiddellijk een brief aan koning Artaxerxes. Daarin vertelde ik hem welk leed ik zijn vader en zijn volk bij Salamis had berokkend en legde hem mijn situatie uit. En ik vroeg hem of hij mij aan zijn hof wilde ontvangen. Hij zei dat hij het als een eer beschouwde mij te ontvangen. Onze ontmoeting staat mij nog helder voor ogen. We hebben uren gepraat over "Salamis" en de nasleep daarvan. De koning bleek goed geïnformeerd en stelde deskundige vragen, over de door mij gevolgde strategie, over de tactieken tijdens de slag, over de training van de roeiers. Toen ik hem vertelde hoe de Atheners mij na de slag hadden behandeld, reageerde hij ongelovig. Hij bood mij een verblijf voor onbepaalde duur aan en zei dat hij hoopte dat ik hem in de toekomst wat adviezen kon geven. En zo zit ik nu hier, maar wel vol twijfels.'

Het moet buitengewoon frustrerend zijn om als gevierde Athener je dagen te moeten slijten in het land van de vijand?

'Dat is het ook. Ik ben en blijf een Athener, daar ligt mijn hart, daar leven mijn vrouw en kinderen. Natuurlijk wil ik terugkeren, maar dat kan niet. Mijn naam is voorgoed bezoedeld. Als ik terugga zullen mijn vijanden ervoor zorgen dat ik onmiddellijk in de boeien word geslagen. Ik kan er niet van slapen. Ik pieker en pieker maar. En terwijl ik hier nu met u zit te praten komen ook de tranen weer. Ik zal nooit begrijpen wat ik heb misdaan, waarom mij zo'n zwaar lot heeft getroffen. Ik heb Athene de overwinning bezorgd bij Salamis, ik heb duizenden arme Atheners bestaanszekerheid geboden, ik heb de volksvergadering de spreekbuis van het volk gemaakt, ik heb de basis gelegd voor het Atheense machtsimperium. Anderen pronken nu met wat ík heb klaargespeeld. En wat is mijn beloning geweest?'

Hij wil nog meer zeggen, maar de emoties worden hem te machtig. Hij neemt een slok water en probeert het opnieuw. Maar het gaat niet meer, hij trilt over zijn hele lijf. Hij kijkt me aan, wendt bijna meteen zijn blik weer af en loopt de zaal uit. Ik wacht, maar hij komt niet meer terug. Na een kwartier komt er een soldaat binnen, hij gaat voor mij staan en deelt mij mee dat Themistocles niet in staat is nog verder met mij te praten. Na die mededeling verandert hij plotseling van toon. Nu het interview is afgelopen ben ik weer een vreemdeling, die het paleis zo snel mogelijk moet verlaten. Ik krijg een uur om wat te eten en me gereed te maken voor vertrek. Het brood, de sla en de olijven die mij worden voorgezet smaken mij niet. Ik moet steeds aan Themistocles denken. Is hij werkelijk zo slecht door de Atheners behandeld of ligt de schuld toch ook voor een deel bij hem?

Wanneer ik de brede oprijlaan van het paleis afloop voel ik dat ik word bespied. Ik draai mij om. Half verscholen achter de luiken van de paleisvensters staat Themistocles. Zelfs van afstand kan ik de treurnis in zijn ogen zien. Ik zwaai naar hem en hij knikt terug. Daarna verdwijnt hij schielijk van voor het venster.

Nero en het Kanaal van Corinthe

Als de naam Nero valt, denken veel mensen alleen maar aan de excentrieke, zelfingenomen keizer die tijdens zijn regering (54-68) niets tot stand bracht omdat hij zijn aandacht vooral richtte op zaken die weinig met het bestuur van een groot rijk van doen hadden. Die mensen baseren zich daarbij vooral op het treurige portret dat de Romeinse schrijvers Suetonius en Tacitus schetsen van het aan vreemde voorvallen zo rijke leven van deze heerser. Zijn hang naar decadentie, zijn liefde voor gladiatorenspelen en wagenrennen, zijn artistieke ambities, zijn seksuele uitspattingen en zijn grenzeloze wreedheid worden door hen breed uitgemeten. Zijn zelfmoord onder het uitroepen van de woorden 'welk een kunstenaar gaat in mij verloren' is voor beide schrijvers een extra bewijs dat hij niet op de troon thuishoorde. Toch doen we Nero tekort als we alleen maar zijn slechte kanten belichten. Hij heeft ook besluiten uitgevaardigd die doen vermoeden dat hij minder gestoord was dan in de oude teksten te lezen valt. Hij brak met het beleid van zijn voorganger Claudius om het Romeinse rijk nog verder uit te breiden en overwoog zelfs om de legers uit Brittannië terug te trekken. Het was niet louter angst die hem hiertoe bracht, maar de gedachte dat een te omvangrijk rijk kwetsbaar was. In Rome heeft hij er bovendien het nodige aan gedaan om de leefomstandigheden van het volk te verbeteren, onder andere door een nieuw grondplan voor de stad te ontwerpen en te verordonneren dat de woningblokken en gewone huizen aan de voorkant van galerijen met platte daken moesten worden voorzien om branden te kunnen bestrijden. Maar omdat hij dat

Nero

pas deed nadat vele stadswijken in 64 n.Chr. in vlammen waren opgegaan als gevolg van een brand die, zo zeiden zijn critici, door hemzelf was aangestoken om ruimte te scheppen voor zijn droom, een koninklijk paleis van ongekende schoonheid, wordt ook deze maatregel vaak negatief uitgelegd.

De bouw van de *domus aurea*, het gouden paleis dat alle andere bouwwerken in Rome in schoonheid moest overtreffen, illustreert Nero's voorliefde voor prestigieuze projecten. Hij onderscheidde zich hierin overigens niet van eerdere keizers, die er eveneens alles aan hadden gedaan om hun naam te vereeuwigen door opvallende gebouwen en gedenktekens neer te zetten. Vooral Augustus was hem daarin voorgegaan en niemand had het hem kwalijk genomen. Zijn architectonische metamorfose van Rome werd gezien als een afspiegeling van zijn macht. Bij Nero was daarvan geen sprake. Na zijn dood viel hem een *damnatio memoriae* ten deel: alles wat aan hem herinnerde moest worden uitgewist. Suetonius en Tacitus hebben zijn imago nog verder bezoedeld door een sfeer van lachwekkendheid om zijn daden te weven. Nero kreeg de naam van een maniak die er niet voor terugdeinsde de wereld te laten zien dat geen natuurlijke barrière hem te hoog ging.

Zijn twee pogingen om de natuur naar zijn hand te zetten hebben vooral hoon geoogst. In beide gevallen betrof het de aanleg van een kanaal door een landschap dat zich daarvoor niet leende. De kritiek op het eerste project is terecht. Het was te ambitieus, gespeend van realiteitszin. Nero wilde een waterverbinding tot stand brengen vanaf het Avernische Meer in Campanië, niet ver van de kustplaats Baiae, naar de monding van de Tiber. De keizer kwam hiermee tegemoet aan de wensen van schippers die hadden geklaagd dat ze op hun zeereizen van Puteoli naar Ostia langs de rotsachtige kust door draaiende winden zoveel risico's liepen. Als Nero's plan werd uitgevoerd, zouden ze door een binnenkanaal van meer dan tweehonderd kilometer naar Rome kunnen varen. De geschiedschrijver Tacitus (*Annalen* 15,42) laat, vermoedelijk in navolging van mensen uit de directe omgeving van de keizer, weinig heel van de onderneming: de bergen waren te hoog en de enige plek in de buurt waar water te vinden was waren de Pomptijnse moerassen. Nero trok zich echter niets aan van alle kritiek en liet uit heel Italië arbeiders, onder wie veel misdadigers en gevangenen, overbrengen om met het graafwerk te beginnen. Uit Tacitus' woorden dat er tunnels door de bergen werden gegraven en dat de sporen van Nero's ijdele hoop tot in zijn eigen tijd zichtbaar waren, kan worden geconcludeerd dat er geruime tijd aan het kanaal moet zijn gewerkt. Niemand kan zeggen hoe lang, maar uiteindelijk blies de keizer het plan af.

De mislukking van dit project moet Nero diep teleurgesteld hebben. Een nieuwe mogelijkheid om zijn naam aan een kanaal te verbinden vond hij twee jaar voor zijn dood tijdens een bezoek aan de Isthmus van Corinthe, de smalle landtong van nog geen zeven kilometer die het vasteland van Centraal-Griekenland verbindt met de Peloponnesus. Hoewel het idee opnieuw werd afgedaan als een hersenspinsel van de door grootheidswaan bevangen keizer, deed Nero in feite slechts wat mensen met een minder slechte reputatie al eerder hadden overwogen: het aanleggen van een waterweg tussen de Corinthische Golf in het westen en de Saronische Golf. Zijn 'voorgangers' hadden om uiteenlopende redenen het plan laten varen nog voordat er ook maar een spade in de grond was geslagen.

Periander, in het begin van de zesde eeuw v.Chr. tiran van Corinthe, is de eerste van wie we met zekerheid weten dat hij de Isthmus wilde doorbreken. Hij zag er uiteindelijk van af vanwege de op sommige plekken hoog oprijzende rotsen, die het uitgraven tot zeeniveau ernstig bemoeilijkten. Maar omdat Corinthe een toonaangevende rol vervulde in de internationale handel en vele ondernemers hun goederen snel van de ene haven, Kenchreai in het zuidoosten van de Isthmus, naar de andere haven, Lechaion in het noordwesten, wilden vervoeren, kwam hij met een andere oplossing. Die was minder radicaal maar getuigde wel van een grote vindingrijkheid. Over de volle breedte van de Isthmus legde hij een straat aan van grote stenen blokken, een soort overtoom die het mogelijk maakte goederen en kleine lege vrachtschepen op speciaal geconstrueerde wagens van de ene naar de andere kant te rijden. Deze bijna 6,5 kilometer lange straat was aan beide uiteinden zeven tot tien meter breed en in het midden ongeveer 3,5 meter. In de bochten waren beschermende muurtjes aangebracht om 'ontsporingen' te voorkomen. De Grieken noemden deze overtoom *diolkos*, wat aangeeft dat de wagens werden voortgetrokken, vermoedelijk door ossen. Of de *diolkos* in de oudheid vaak is gebruikt is de vraag. Schippers die, komend vanuit het westen, niet Corinthe maar een andere haven als eindbestemming hadden, kozen ervoor om de Peloponnesus te ronden en namen de zware windvlagen en gevaarlijke stromingen rond Kaap Malea voor lief. In oorlogssituaties kon de *diolkos* ineens een grote betekenis krijgen als een van de strijdende partijen lichte oorlogsschepen liet overzetten en zijn tegenstanders zo voor grote problemen plaatste. De *diolkos* ligt er overigens nog steeds. Op diverse plekken op de Isthmus zijn de stenen nog goed te zien. Zelfs de sleuven waarin de wielen van de wagens liepen zijn nog te onderscheiden.

De gedachte aan een kanaal bleef leven. In het begin van de derde eeuw v.Chr. was er opnieuw een heerser die de Isthmus wilde splijten: Demetrius, de koning van Macedonië. Hij was de zoon van Antigonos, een van de felste kemphanen die zich na de dood van Alexander de Grote in 323 v.Chr. op diens politieke erfenis hebben gestort. Zijn bijnaam *Poliorketes* ('stedenbelegeraar') geeft al aan dat hij voor geen kleintje vervaard was. Zijn ingenieurs, die voortdurend nieuwe belegeringswerktuigen voor hem bedachten, steunden ook zijn plan om een kanaal door de Isthmus te graven. Alvorens daadwerkelijk tot actie over te gaan raadpleegde Demetrius Egyptische deskundigen. Zij wezen de onderneming als onuitvoerbaar van de hand, met als voornaamste argument dat als de Isthmus werd doorbroken onnoemelijk veel water uit de Corinthische Golf in grote vloedgolven naar de Saronische Golf zou stromen en het eiland Aegina en kleinere eilanden in de nabije omgeving zou overspoelen. Demetrius volgde hun advies op en zag af van verdere uitwerking van zijn plannen.

Ruim 250 jaar werd er weinig over de aanleg van een kanaal vernomen, totdat Julius Caesar, die in 45 v.Chr. het een eeuw daarvoor door de Romeinen grondig verwoeste Corinthe weer stadsrechten had gegeven, de Isthmus opnieuw onder de aandacht bracht. Voordat hij zijn plannen had kunnen uitwerken werd hij vermoord. Ook keizer Caligula (37-41 n.Chr.) raakte geïntrigeerd door de gedachte aan een kanaal. Hij stuurde technici naar de Isthmus om hem over de mogelijkheden te rapporteren, maar het leidde tot niets. En toen was daar in het jaar 67 Nero, die met de hem kenmerkende flair het idee lanceerde om een kanaal door de Isthmus te graven. De reacties van de senatoren en andere beleidsmakers op dit voornemen waren niet erg positief. Als goede keizers als Augustus en Claudius er niet aan waren begonnen, zo zullen ze hebben gedacht, hoe kon iemand als Nero het dan wel voor elkaar krijgen? Maar Nero, die zich nooit veel gelegen liet liggen aan het commentaar van anderen, zette zijn plan door.

Het moet een schitterend schouwspel zijn geweest toen hij gekleed in zijn keizerlijk gewaad, begeleid door de praetoriaanse garde, onder grote publieke belangstelling een toespraak hield en vervolgens op een signaal van een trompet met een kleine houweel de eerste grond loshakte en de omgewoelde aarde in een mand op zijn schouders wegdroeg. Suetonius (*Leven van Nero* 18) maakt er melding van, maar in zo weinig woorden dat ik hem ervan verdenk dat hij de hele onderneming maar niets vond, een product van het ziekelijke brein van een geperverteerde keizer. Suetonius had ongelijk. De werkzaamheden die in het jaar 67-68 werden uitgevoerd tonen aan dat het Nero ernst was, dat het project meer was dan een gril. Er werden veel arbeidskrachten ingezet, waaronder zesduizend krijgsgevangenen uit Judea die generaal Vespasianus op speciaal verzoek van Nero had gestuurd. Ze moeten hard hebben gewerkt, want binnen een jaar werd aan beide uiteinden van de Isthmus een brede schacht met een breedte van veertig tot vijftig meter over een lengte van meer dan een kilometer uitgegraven. Daarna staakten de werkzaamheden en viel er een stilte over het project. Het kan zijn dat geconsulteerde ingenieurs Nero hetzelfde hebben verteld als hun Egyptische collega's lang geleden aan Demetrius, en dat de keizer uit angst voor grote overstromingen de hele onderneming heeft stopgezet. Waarschijnlijker is dat Nero kort voor zijn dood werd teruggeroepen naar Italië, omdat een opstand in Aquitanië zijn aandacht opeiste, en dat hij daarna, in het nauw gebracht door opdringende troonpretendenten, niet meer de gelegenheid heeft gehad iets aan het kanaal te doen. Sommige zegslieden beweren dat religieuze motieven hem hebben gedwongen het project af te blazen. Bij het uitgraven van de grond zouden de arbeiders op bloed zijn gestuit, en uit de aarde zou het gehuil en geween van mensen hebben opgeklonken. De uitvoerders vatten deze tekenen op als waarschuwingen van de goden. Zij hadden besloten dat de Peloponnesus en Centraal-Griekenland aan elkaar verbonden waren en zouden niet gedogen dat iemand anders daar verandering in bracht door de Isthmus te splijten. Een hervatting van de werkzaamheden onder Vespasianus, die na een intense machtsstrijd de heerschappij naar zich toe had getrokken, was ondenkbaar. De nieuwe keizer wilde juist dat alles wat aan Nero herinnerde in de vergetelheid zou raken. Het Kanaal van Corinthe werd zodoende een van de projecten die in het rijtje van mislukkingen van de gestoorde keizer terecht zijn gekomen.

Niemand heeft het daarna in de klassieke oudheid nog gewaagd om het werk van Nero voort te zetten. Ideeën waren er wel, maar die strandden alle op de tekentafel. Enkele Byzantijnse keizers hebben het in de volgende eeuwen wel eens overwogen, en ook de Venetiaanse ridders die in de vijftiende eeuw op strategisch gelegen heuveltoppen in de omgeveing versterkte burchten hebben gebouwd, maakten plannen om een kanaal te graven. Maar al na korte tijd zagen ze ervan af, omdat, zo wordt beweerd, de pikhouwelen van de arbeiders op rood water stuitten, wat als een slecht voorteken werd beschouwd en dat herinneringen opriep aan het bloed dat tijdens de campagnes van Nero uit de grond was opgeweld. De Turken, die tot het begin van de negentiende eeuw de onbetwiste heersers van Griekenland waren, hebben de Isthmus met rust gelaten, vermoedelijk omdat ze de infrastructuur van het land niet wilden verbeteren.

Joannes Kapodistrias, van 1829 tot 1831 de eerste president van Griekenland na de verdrijving van de Turken, heeft het idee van een kanaal nieuw leven ingeblazen. Hij maakte er zelfs geld voor vrij op zijn begroting, maar de instabiele politieke situatie en zijn gewelddadige dood stonden de uitvoering van zijn plannen in de weg. Wellicht zou het Kanaal van Corinthe een illusie zijn gebleven, als niet de Franse architect Ferdinand de Lesseps, onder wiens supervisie in vijftien jaar, van 1854 tot 1869, het Suezkanaal was aangelegd, in 1869 een bezoek aan de Isthmus had gebracht. Hij bestudeerde het terrein en kwam tot de conclusie dat het wel degelijk mogelijk was om de Corinthische met de Saronische Golf te verbinden. Zijn opmerkingen leidden tot de oprichting van een werkmaatschappij die de uitvoering van het project moest voorbereiden.

Op 12 april 1882 vond de openingsceremonie plaats, in aanwezigheid van de hele koninklijke familie. De Griekse kranten stonden er vol van. Alles was eraan gedaan om de wereld te doen geloven dat hier iets groots zou worden verricht. De overeenkomst met de festiviteiten onder Nero was treffend. Zoals Nero onder het toeziend oog van de garde en het toegestroomde publiek de eerste aarde met een houweel had losgehakt en weggedragen, zo werd die eer nu gegund aan koning George I. Hij nam, gadegeslagen door een erewacht, door hoogwaardigheidsbekleders en door andere genodigden, plaats in een sho-

Het Kanaal van Corinthe (foto Almar Deerenberg)

vel, reed naar de hem aangewezen plaats, schepte wat aarde weg en deponeerde die in een kar. Vervolgens deden koningin Olga en de prinsen Constantijn en George hetzelfde. De aarde werd in een diepe kloof gestort. Een plaquette werd geplaatst ter blijvende herinnering aan deze ceremonie. Daarna was het de beurt aan de moderne techniek. Met veel kracht werd in veertig kleine, van tevoren gegraven tunnels dynamiet tot ontploffing gebracht. Een deel van de Isthmus knalde letterlijk uit elkaar.

Moeilijkheden waren er de volgende jaren genoeg, maar elf jaar later was het werk dan toch voltooid en kon de koning met een gouden schaar een lint doorknippen en het kanaal officieel voor geopend verklaren. Enkele maanden later werd het voor het scheepvaartverkeer opengesteld. Iedereen was blij. Griekenland had bewezen dat het een groot project aankon, al was het denkwerk verricht door Franse ingenieurs en het graafwerk door arbeiders van uiteenlopende nationaliteiten.

Waar weinig ruchtbaarheid aan werd gegeven, maar wat wel in de officiële stukken vermeld staat, is dat het moderne kanaal het tracé volgt dat ooit door de ingenieurs van Nero was uitgezet. De putten die de Romeinse keizer had laten slaan wezen de weg. Het geeft nog maar eens aan dat zijn plan minder waanzinnig was dan vaak wordt gedacht. Natuurlijk, de technische mogelijkheden waren in zijn tijd beperkt en de kans dat het ooit tot een succesvolle uitvoering zou zijn gekomen was klein, maar misschien had een keizer met een betere reputatie als Nero de handen wel op elkaar gekregen voor deze onderneming en zouden zijn opvolgers ermee zijn doorgegaan. Wellicht hadden de Romeinen, die in de loop van de tijd honderden kilometers wegen en aquaducten met bloed, zweet en tranen hebben aangelegd, ook dit karwei geklaard. Maar ze zetten het werk niet voort, omdat Nero nu eenmaal uitsluitend in verband werd gebracht met experimenten die gespeend waren van realiteitszin.

Je zou kunnen zeggen dat Nero in dit opzicht zijn tijd vooruit was, dat hij inzag dat een kanaal door de Isthmus economisch gezien van grote betekenis kon zijn voor de groeiende handel met Griekenland, omdat het vrachtschepen die van Ostia naar Piraeus voeren, een besparing van meer dan 180 zeemijlen opleverde. Hij heeft het niet mogen meemaken. Aan het einde van de negentiende eeuw was de tijd er wel rijp voor, al bleek toen al snel dat het kanaal voor de almaar groter wordende zeeschepen te smal was. Niemand die zich er druk om maakte. Het prestigeobject had Griekenland als moderne natie op de kaart gezet. Tegenwoordig wordt het kanaal vooral gebruikt door plezierjachten en cruiseschepen en vormt het een toeristische trekpleister voor duizenden mensen die er vanaf de oude brug, niet ver van de moderne stad Corinthe, graag naar kijken. Met zijn lengte van 6343 meter en breedte van vijfentwintig meter wekt het vooral bewondering. De aan beide zijden tot tachtig meter hoog oprijzende rotswanden symboliseren de overwinning op de natuur. Over Nero heeft bijna niemand het meer, zelfs het feit dat hij op het idee van het kanaal is gekomen, lijkt te zijn vergeten. De geschiedenis kan hard zijn, zelfs voor heersers die er in hun leven alles aan hebben gedaan om negatief in beeld te komen.

Twee slaven, twee carrières

De Grieken vonden het de gewoonste zaak van de wereld dat ze mensen van buiten de Griekse wereld van hun vrijheid beroofden en tot slaaf maakten. Slavernij was algemeen geaccepteerd en werd nooit openlijk ter discussie gesteld, hoewel enkele critici er wel op wezen dat slavernij onrechtvaardig was omdat niemand van nature onvrij was. De meeste mensen hadden daar geen boodschap aan, zij onderschreven de opvatting dat sommige volkeren van nature voorbestemd waren om vrij te zijn en te heersen en dat andere tot onderdanigheid gedoemd waren. Ook de filosoof Aristoteles (vierde eeuw v. Chr.) had geen morele bezwaren tegen het fenomeen slavernij, hij voorzag de natuurlijke superioriteit van de Grieken en de aangeboren onderdanigheid van de barbaren zelfs van een wetenschappelijke verklaring. Hij rationaliseerde de ongelijkheid onder de mensen, met het argument dat de natuur de verschillen tussen de mensen had vastgelegd. Zelfs het klimaat speelde een rol in zijn analyse van de vraag in hoeverre de barbaren anders waren dan de Grieken. Aristoteles beschouwde Griekenland als het ideale land om in te leven, want het had het ideale klimaat, niet te warm en niet te koud, waardoor de bewoners de goede eigenschappen van alle afzonderlijke volkeren van buiten hun regio in zich verenigden: ze waren zowel intelligent als dapper, terwijl de volkeren die ver weg in het noorden woonden dapper maar dom waren en de volkeren in het zuiden intelligent maar laf. Juist vanwege hun goede lichamelijke en geestelijke eigenschappen waren de Grieken beter dan ieder ander volk toegerust om over anderen te heersen.

De Romeinen koesterden gelijksoortige gedachten over vrijheid en onvrijheid. Toen zij in de tweede eeuw v.Chr. de mediterrane wereld aan zich onderwierpen, verwierven zij onnoemelijk veel buit en honderdduizenden slaven. Uit alle hoeken van de mediterrane wereld werden ze aangevoerd om op de grote landerijen van de leden van de elite te werk gesteld te worden. Daar deelden ze hun trieste lot met duizenden anderen die door piraten op de slavenmarkten waren doorverkocht aan Romeinse grootgrondbezitters. Ruwe schattingen gaan ervan uit dat in het midden van de eerste eeuw v.Chr. in Italië twee tot drie miljoen slaven waren op een bevolking van acht tot veertien miljoen mensen. Vooral de plattelandsslaven hadden een hard leven, doordat ze vaak aan ketenen waren gebonden en met vele slaven uit alle windstreken in armzalige barakken waren gehuisvest.

Juist omdat de meeste slaven onder erbarmelijke omstandigheden leefden, zou je denken dat hun bereidheid om in opstand te komen, groot was, maar in de oude teksten wordt zelden gesproken over georganiseerd verzet. In Griekenland schikten de meeste onvrijen zich in hun lot, wat niet zo opzienbarend is als we bedenken dat ze doorgaans uit verschillende landen kwamen en elkaars taal niet spraken. In Athene, bijvoorbeeld, hadden slaven uit Thracië, Illyrië, Cappadocië en de landen rond de Zwarte Zee nooit een vuist kunnen maken tegen hun onderdrukkers. Een inderhaast georganiseerde rebellie zou bij voorbaat op een mislukking zijn uitgelopen. Alleen in gebieden waar bevolkingsgroepen collectief in slavernij waren gebracht hadden opstanden kans van slagen, zoals in grote delen van de Peloponnesus, waar de heloten, de nazaten van de door Sparta onderworpen autochtone bevolking, werden vernederd. Zij bleven de hoop koesteren ooit hun vrijheid te herwinnen, maar omdat de Spartanen militair superieur waren, bleef het bij oprispingen van machteloze woede. Van enig mededogen met de heloten, omdat ze toch ook Grieken waren, was bij de Spartanen geen sprake. Zij zagen hen als minderwaardige mensen die voor alle taken konden worden ingezet, en trokken zich weinig aan van de stilzwijgende afspraak dat Grieken andere Grieken niet tot slaaf maakten. De heloten waren collectief bezit van de staat en wisten nooit hoever de intimidatie van de Spartanen reikte en of een bepaalde groep het op hen had voorzien. Hun angst werd ieder jaar in de herfst zichtbaar tijdens de *krupteia*, het zogeheten 'verbergingsritueel'. Jonge Spartanen die op het punt stonden in de gelederen van de volwassenen te worden opgenomen, moesten op een heel speciale manier hun kwaliteiten tonen. Gewapend met een dolk gingen ze op stap om alle heloten die ze op hun nachtelijke speurtocht tegenkwamen te doden. Pas dan hadden ze bewezen echte mannen te zijn. Het behoeft geen betoog dat de haat van de heloten tegen de Spartanen groot was en dat ze, wanneer het de Spartanen slecht ging, in actie kwamen. Tot het eerste kwart van de vierde eeuw konden alle opstanden worden neergeslagen. De nederlaag van de Spartanen in 371 v.Chr. tegen de Thebanen betekende niet alleen het einde van de Spartaanse heerschappij op de Peloponnesus maar luidde ook de bevrijding van de heloten in.

In het Romeinse rijk kwamen opstanden eveneens minder vaak voor dan je gezien de grote omvang van de slavernij zou verwachten. Hoewel hun leven ellendig en uitzichtloos was, wordt er in de bronnen maar weinig melding gemaakt van collectief verzet van plattelandsslaven. De angst voor represailles van de kant van de Romeinse overheid zat er goed in. In feite zijn er maar drie grote rebellieën geweest. Twee keer, aan het einde van de tweede eeuw v.Chr., was Sicilië het toneel van handeling, één keer werd Italië zelf getroffen door een massale uitbarsting van ontevredenheid. Die laatste rebellie is de meest befaamde uit de oude geschiedenis en staat bekend als de Spartacus-opstand. In 73 v.Chr. ontsnapte deze Thracische slaaf uit een gladiatorenschool in Capua. Weldra kreeg hij gezelschap van vluchtelingen uit alle delen van Italië en binnen de kortste keren stond hij aan het hoofd van een leger van meer dan tienduizend man. Wat Spartacus misschien zal hebben gehoopt gebeurde niet. De boerenbevolking hield zich afzijdig of koos openlijk partij voor de overheid. Zij wilden onder geen beding iets te maken hebben met slaven. Spartacus was daarom gedwongen zijn manschappen buiten Italië te loodsen, terug naar hun geboortegronden. Daar hoopte hij voor zijn lotgenoten een leven in vrijheid te realiseren. Het plan mislukte en de opstandelingen werden opgejaagd door heel Italië, van Capua in het zuiden naar Gallia Cisalpina in het noorden, en weer terug naar de laars van Italië, vanwaar ze tevergeefs over zee probeerden weg te komen. Ze werden tot een beslissende confrontatie gedwongen en leden een verpletterende nederlaag. Duizenden van hen werden als afschrikwekkend voorbeeld gekruisigd langs de Via Appia, de hoofdweg van Rome naar Capua.

Drimacus

Spartacus mag dan de meest tot de verbeelding sprekende slavenleider uit de geschiedenis van de klassieke oudheid zijn geweest, hij was niet de succesrijkste en ook niet de intelligentste. Die eer is weggelegd voor Drimacus, een nauwelijks bekende slaaf over wiens activiteiten slechts één tekst bestaat, van Athenaeus van Naukratis, een schrijver uit de derde eeuw n.Chr. Hij tekende alles op wat hem door andere schrijvers werd aangedragen en zo kreeg hij ook het levensverhaal van Drimacus onder ogen. Hij was een slaaf die in de derde eeuw v.Chr. zijn meesters op het eiland Chios was ontvlucht en zich met andere gevluchte slaven had teruggetrokken tussen de ontoegankelijke bergkammen van het noorden van het eiland. Daar was hij voor het bestuur van Chios een ware plaag geworden. Op zeker moment deed Drimacus iets dat, voor zover we kunnen nagaan, nog nooit een slaaf vóór hem had gedaan. We laten Athenaeus (*Deipnosophistae* 6,265b-266e) zelf aan het woord:

Het begon, volgens het verhaal van de Chiërs zelf, toen een slaaf wegliep en zijn heil in de bergen zocht. Hij was een dapper man, bedreven in de oorlogvoering. Hij voerde de weggelopen slaven aan zoals een koning zijn leger aanvoert. De Chiërs zonden dikwijls soldaten op hem af, maar die konden niets uitrichten. Toen Drimacus (zo heette de weggelopen slaaf) zag dat zij hun levens riskeerden zonder resultaat, zei hij tegen hen: 'Chiërs en meesters, de moeilijkheden die jullie van de weggelopen slaven ondervinden zullen nooit ophouden. Waarom zou dat ook gebeuren, omdat alles geschiedt volgens een door God gegeven orakel. Indien jullie echter met mij een overeenkomst sluiten en ons in rust laten leven, zal ik veel goeds voor jullie realiseren.' Derhalve sloten de Chiërs een verdrag en een wapenstilstand met hem voor een bepaalde periode, en hij liet daarop maten en gewichten en een speciaal zegel maken. Hij toonde deze aan de Chiërs en zei: 'Wat ik van een van jullie afneem, neem ik naar vaste maat en gewicht. Wanneer ik naar behoefte heb genomen, zal ik jullie voorraadkamers met dit zegel verzegelen en zonder verdere schade laten. Van de slaven die van jullie weglopen zal ik de reden van hun vlucht trachten te vinden. Als blijkt dat zij zijn weggelopen omdat zij mateloos hebben geleden, zal ik ze bij mij houden, maar als zij geen afdoende reden voor hun vlucht hebben, zal ik ze terugsturen naar hun meesters.' De overige slaven zagen dat de Chiërs deze voorwaarden met graagte aannamen en waren minder geneigd om weg te lopen, daar zij de ondervraging van Drimacus vreesden. Ook de weggelopen slaven bij hem vreesden hem meer dan hun eigen heren en deden alles wat hij vroeg, hem gehoorzamend als een militair bevelhebber. Want hij strafte niet alleen degenen die ongehoorzaam waren, maar hij liet niemand een akker verwoesten of ander onrecht plegen zonder zijn uitdrukkelijke toestemming. Wanneer hij op feestdagen uitmarcheerde, nam hij wijn van de velden en onbezoedelde offerdieren. Daar

> kwam nog bij wat de heren hem vrijwillig gaven. Wanneer hij vermoedde dat iemand iets tegen hem beraamde of een hinderlaag legde, strafte hij hem.

Het meest opvallende in deze tekst is dat Drimacus zich niet dood vecht, zoals de andere slavenleiders. In plaats daarvan gaat hij onderhandelen met het stadsbestuur, maar niet vanuit een onderdanige positie. Hij treedt de bestuurders als gelijke tegemoet, en het stadsbestuur kan op dat moment niet anders dan Drimacus serieus nemen. Hij wordt van aanvoerder van weggelopen slaven tot gesprekspartner en maakt de spelregels van de overheden tot de zijne. Drimacus en zijn aanhangers deden in feite wat vele eeuwen later de *marrons*, gevluchte negerslaven, in Mexico, Suriname, Brazilië en het Caraïbisch gebied ook deden. Zij ontvluchtten hun meesters, trokken zich terug in ondoordringbare wouden, stichtten daar nederzettingen en ondernamen nachtelijke fouragetochten naar naburige plantages. Omdat de overheden hen niet de baas konden, waren ze gedwongen overeenkomsten met hen te sluiten.

Jarenlang bleef de afspraak tussen Drimacus en het bestuur van Chios van kracht. Maar toen de slavenleider de last der jaren begon te voelen, zag de overheid haar kans schoon en loofde een premie uit voor degene die hem levend of dood zou uitleveren. Toen deed Drimacus iets heel onverwachts:

> Hij riep zijn lievelingsknaap bij zich op een geheime plaats en zei tegen hem: 'Ik heb van jou meer gehouden dan van alle andere mensen. Jij bent mijn lieveling, mijn zoon, alles wat ik bezit. Ik heb nu lang genoeg geleefd, jij bent jong en in de kracht van je leven. Wat blijft er dus te doen? Jij moet een goed en aanzienlijk man worden. Omdat de stad Chios aan degene die mij doodt veel geld en de vrijheid zal schenken, moet je mij mijn hoofd afhakken en het naar Chios brengen. Je zal dan van het stadsbestuur de beloning ontvangen en in welstand kunnen leven.' De jongen weigerde

eerst, maar liet zich uiteindelijk bepraten. Hij hakte Drimacus het hoofd af, bracht het naar Chios en incasseerde het geld. Daarop begroef hij het lichaam en keerde terug naar zijn eigen land.

De dood van Drimacus betekende meteen het einde van het georganiseerde verzet. Bij mijn weten is er in de oudheid nooit meer een vergelijkbare slavenleider opgestaan.

Aulos Kapreilios Timotheos

De meeste slaven hielden er heel andere gedachten op na. Zij hoopten dat er ooit een dag zou komen waarop hun meester hen zou vrijlaten. Vanaf de eerste eeuw v.Chr., toen de aanvoer van slaven binnen het Romeinse rijk sterk was teruggelopen en het gewone werk op de grootgrondbezittingen vaak door pachtboeren werd verricht, nam de kans daarop ook werkelijk toe. Ze werden veelal voor speciale taken ingezet, waardoor de band met hun meester hechter werd en de hoop op vrijlating groeide. Een bijzondere bekwaamheid van een slaaf, een trouwe dienstbaarheid gedurende vele jaren of een oprechte genegenheid tussen meester en slaaf waren de belangrijkste redenen om een slaaf uiteindelijk vrij te laten. Als de eigenaar het burgerrecht bezat, werd de vrijlating bezegeld met een plechtig ritueel: in aanwezigheid van een hoge magistraat werd de gelukkige aangeraakt met de roedenbundel van de begeleidende lictor en werd hem plechtig meegedeeld in welk district en welke censusklasse hij werd ingedeeld. Was de meester zelf een vrijgelatene, dan kreeg ook de ex-slaaf deze status. Als tegenprestatie werd van vrijgelatenen verwacht dat ze hun meester respect bleven betuigen. Ook verplichtten zij zich bepaalde taken voor hem te blijven uitvoeren. Na hun vrijlating oefenden ze het vak uit dat hun als slaaf was geleerd. Als handwerkslieden of eigenaars van kleine bedrijfjes deden ze van zich spreken.

Grafstele van Aulos Kapreilios

Enkele vrijgelatenen brachten het heel ver. Ongetwijfeld hebben Narcissus en Pallas de succesvolste carrières gehad. Ze kwamen na hun vrijlating in dienst van keizer Claudius (41-54), kregen hoge functies en werden puissant rijk. Andere vrijgelatenen verdienden goed aan de handel. Een van hen was Aulos Kapreilios Timotheos. Een 2,17 meter hoge grafzuil uit de eerste eeuw v. Chr., midden tussen de ruïnes van de vroegere Griekse stad Amphipolis, zo'n tachtig kilometer van Thessaloniki richting Turkse grens, vertelt in enkele regels iets over zijn leven. Op de opvallend gave stèle zijn enkele scènes afgebeeld: Bovenaan een man, liggend op een bed, met twee jongens die hem bedienen; in het midden slaven die een grote ketel en kruiken dragen; daaronder een stoet van acht slaven. Ze zijn met kettingen om de hals aan elkaar verbonden en worden begeleid door twee vrouwen en twee kinderen die niet geketend zijn. Voor de stoet uit gaat een man met een capuchon op zijn hoofd, klaarblijkelijk de eigenaar van de geketende slaven. Hij is vermoedelijk ook de man aan wie de grafsteen toebehoort. Onder het tafereel staat te lezen:

AULOS KAPREILIOS, VAN AULOS
VRIJGELATENE, TIMOTHEOS,
KOOPMAN IN LICHAMEN.

Dit is alles wat we over Aulos Kapreilios Timotheos weten. In geen enkele andere tekst uit de oudheid komen we hem verder nog tegen. Zou dit grafschrift niet zijn ontdekt, dan zou hij vermoedelijk helemaal uit de geschiedenis zijn verdwenen. Dat zou een gemis zijn, want deze tekst is illustratief voor de gespleten situatie waarin vrijgelatenen moeten hebben verkeerd, en zeker een vrijgelatene die in een branche werkzaam was waaraan hij zelf zijn onvrijheid te danken had gehad. Ik zou graag willen weten of hij nooit eens wroeging had dat hij zijn brood verdiende aan het ongeluk van anderen. Was het alleen maar voor het geld dat hij dit beroep had gekozen? Het is mogelijk, want Aulos Kapreilios liet onomwonden, zonder gêne, op zijn grafsteen zetten dat hij slavenhandelaar was, alsof hij trots was op zijn beroep.

Nu kwam het vaker voor dat vrijgelatenen zich snoevend over hun beroep en hun verdiensten uitlieten zonder zich van hun omgeving iets aan te trekken, maar in andere gevallen gaat het om handel in goederen en niet om handel in mensen. Slavenhandelaren waren niet geliefd in de oudheid, ze stonden laag op de maatschappelijke ladder. Het illustreert de dubbele moraal van de oudheid: slaven waren meer dan welkom, maar de mensen die ze leverden stonden in een kwade reuk. Toch vormde dat voor velen geen beletsel. Er was veel geld mee te verdienen, want na de grote veroveringsoorlogen was de aanvoer van krijgsgevangenen teruggelopen, maar de vraag naar slaven ging door, omdat de landeigenaren nu eenmaal werkkrachten nodig hadden. Handelaren konden de prijs voor slaven opdrijven.

Was Aulos Kapreilios Timotheos zo'n man die zich na zijn vrijlating niets aantrok van de heersende opvattingen over het beroep van slavenhandelaar en onverschillig voor de antipathie van de maatschappij zijn eigen plan trok? Het is mogelijk en het zou verklaren waarom hij onomwonden, zonder enige terughoudendheid, op zijn grafsteen liet vermelden dat hij handelde in slaven.

Het grafschrift wijst ook in een andere richting. Aan de aard van het beroep van Aulos Kapreilios verandert niets, wel aan de motieven die hem ertoe hebben aangezet nadrukkelijk te vermelden dat hij handelaar in slaven was. Op de grafsteen staat uitdrukkelijk vermeld dat hij een vrijgelatene was van Aulos. Vermoedelijk had hij diens naam aangenomen, wat de vraag oproept waarom hij zelfs na zijn dood nog melding wilde maken van het feit dat hij uit de slavernij was bevrijd. Het is heel goed mogelijk dat de banden tussen de voormalige eigenaar en de ex-slaaf na de vrijlating alleen formeel waren veranderd. Zijn heer was slavenhandelaar en Aulos Kapreilios had na zijn vrijlating geen andere mogelijkheid dan voor zijn voormalige meester te blijven werken. Voor de heer had deze nieuwe relatie de prettige consequentie dat hij zijn ex-slaaf kon gebruiken als partner in zijn onderneming, als stroman voor activiteiten waarmee hij niet graag in de openbaarheid wilde treden. Omdat slavenhandel in zeer lage achting stond, zal het in die branche vaak zijn voorgekomen dat een vrijgelatene, een ex-slaaf, naar voren werd geschoven. Hij kreeg de kritiek, hij werd gehaat, maar de inkomsten gingen naar de man achter de schermen. De ex-slaven hadden geen keus en voerden hun loyaliteit door tot het uiterste.

Zo kan het met Aulos Kapreilios Timotheos ook zijn gegaan. Hij werd vrijgelaten door zijn heer Aulos, die goed aan zijn stroman verdiende. Omdat hij geen andere bestaansmiddelen had, bleef hij zijn voormalige meester trouw en haalde hij voor hem slaven uit Thracië en Macedonië. Overal in het Romeinse rijk brachten ze veel geld op. Hij werd er zelf niet minder van en wat de mensen over hem dachten, interesseerde hem niet zoveel. De maatschappij had immers toegestaan dat hij en duizenden anderen slaaf waren geweest. De enige tegenover wie hij loyaal was, was zijn voormalige meester. En dus kan het grafschrift met de openlijke bekentenis een uiting van postume trouw aan zijn vroegere meester zijn geweest en een verhulde aanklacht tegen een samenleving die wel slaven nodig had maar de mensen die daarvoor zorgden verketterde.

Herodotus of Pausanias?

De mens reist door de tijd. Zoekend baant hij zich een weg naar het einde, waarvan hij niet weet wanneer en hoe hij het bereikt. Zijn speurtocht door het leven gaat gepaard met reflectie en bespiegeling, over zichzelf, over zijn medemens en over hogere machten. De een is een reiziger in zijn eigen gedachten, lezend in geschriften van schrijvers die hem zijn voorgegaan, de ander trekt er zelf op uit om met eigen ogen te aanschouwen hoe vreemde volkeren ver van zijn vertrouwde wereld hun zwerftocht door het leven inhoud hebben gegeven.

Thuisblijvers die het overbodig achtten kennis te vergaren van volkeren met andere gewoonten, andere tradities en andere normen en waarden, zijn er altijd geweest. Zij hadden genoeg aan zichzelf en hun naaste omgeving. Lucretius (94-55 v.Chr.) en Seneca (4 v.Chr.-65 n.Chr.) waren er tweeduizend jaar geleden al van overtuigd dat reizen naar den vreemde een overbodige luxe was. Lucretius betoogde dat je op reis toch maar je zorgen meenam. Hij vond het een troostrijke gedachte dat je in je eigen vertrouwde omgeving eindeloos kon reflecteren op het leven. Zijn gedichten moeten veel mensen tot steun zijn geweest, omdat hij de bovennatuurlijke krachten van goden ontkende en de irrationele angst wegnam voor rampen die al paniek veroorzaakten nog voordat ze hadden plaatsgevonden. Hij propageerde een onbekommerd leven zonder angst en vrij van pijn. Reizen beschouwde hij als een vlucht, de persoon in kwestie had immers geen kans los te komen van zichzelf:

> En zo vlucht ieder voor zichzelf, iets wat natuurlijk
> niet lukt, tegen zijn zin blijft men, haat men zichzelf,
> omdat men, ziek, de oorzaak van de kwaal niet kent.
> Want als men die zou inzien, liet men alles varen
> om de natuur der dingen meer te kunnen leren,
> want in het geding is niet de toestand van één uur,
> maar van de eeuwigheid waarin ons stervelingen
> de hele tijd na onze dood te wachten staat.
> (Lucretius, *De rerum natura* 3,1068-1075;
> vertaling Piet Schrijvers)

Lucretius werd in die opvatting gesteund door Seneca, die er eveneens niet aan twijfelde dat reizen zinloos was. Het was een illusie te geloven dat je door van de ene naar de andere plaats te trekken je verdriet en zwaarmoedigheid kon afwerpen, want je problemen vergezelden je overal. Seneca moet een aversie hebben gehad tegen reizen, want als hij uitweidt over een uitstapje naar Campanië, stelt hij somber vast dat het geen zin heeft om van huis weg te gaan, omdat je onaangename verrassingen toch niet kunt ontlopen. De herrie en overlast van dronken toeristen, zeeziekten en andere ongemakken komen vanzelf op je weg en veroorzaken niet alleen lichamelijke problemen maar vertroebelen ook de geest.

Seneca's pessimistische gedachten over reizen waren in de oudheid geen gemeengoed. Vele avonturiers, ontdekkingsreizigers en ondernemende onderzoekers hadden niet genoeg aan het leven in hun steden en wilden met eigen ogen de buitenwereld aanschouwen. Zij gingen op zoek naar verre landen, niet alleen om het onbekende te leren kennen, maar ook, op grond van wat ze daar aantroffen, om zichzelf en de samenleving waar ze deel van uitmaakten beter te leren begrijpen. In een wereld waarin het eigene, het vertrouwde, de norm was en het vreemde, het onbekende als irrelevant van de hand werd gewezen, deden ze verslag van een andere wereld. Wie de eerste ontdekkingsreiziger was die de stoute schoenen aantrok en zijn vaderstad verliet om de onbekende buitenwereld te leren kennen, zal wel altijd een raadsel blijven. Homerus, die in de negende of achtste eeuw v.Chr. zo magistraal de plaatsen beschreef die Odysseus op zijn zwerftochten over de Middellandse Zee aandeed, is weliswaar de eerste van wie een reisverhaal is overgeleverd, maar hoe hij te werk is gegaan, of hij zelf die plaatsen heeft bezocht of zich heeft gebaseerd op informatie van zeelieden, valt niet te achterhalen, omdat er over zijn leven zo goed als niets bekend is.

Die onduidelijkheid verdwijnt met de komst van Herodotus in de vijfde eeuw v.Chr. Hij groeide op aan de rand van de Griekse wereld in Halicarnassus (het huidige Bodrum in Zuid-Turkije) en verliet zijn vaderstad op jeugdige leeftijd voor een ontdekkingstocht door Griekenland en het Nabije Oosten. Tijdens zijn reizen heeft hij uitgebreide notities gemaakt over de gewoonten van vreemde volkeren, niet om zijn lezers te amuseren met vermakelijke details, maar als een substantieel onderdeel van een veelomvattend project. Met zijn *Historiën*, een vuistdik werk in negen boeken, wilde hij de grote oorlog tegen de Perzen, die door de Grieken werd gezien als de beslissende confrontatie tussen Oost en West, tussen vrije mensen en tot slavernij gedoemde volkeren, beschrijven. Al snel zag hij in dat als hij eerlijk verslag wilde doen van de gevechtshandelingen, hij niet om de achtergronden van het conflict heen kon. Hij kon niet volstaan met een opsomming van gevechten, hij moest ter plekke onderzoek verrichten om de ziel van alle volkeren die in het spoor van de Perzische koningen mee naar Griekenland waren getrokken te kunnen doorgronden. En dus doorkruiste hij het Perzische rijk. Hij bezocht de piramiden van Egypte en de bronnen van de Nijl, keek zijn ogen uit in de wondere wereld van Arabië, trok door de ontoegankelijke Sahara, vergaapte zich aan de koninklijke paleizen in Persepolis, maar zag ook de ruwe steppen van Zuid-Rusland. Hij schreef over al die plaatsen op een manier die respect afdwingt. Zijn aantekeningen over de meest buitenissige gewoonten worden met een positieve ondertoon gepresenteerd, met verbazing en verwondering, nooit vanuit een negatieve vooringenomenheid.

In de Griekse gemeenschappen zal niet iedereen even enthousiast op Herodotus' observaties hebben gereageerd, omdat de interesse voor het vreemde, het afwijkende, allerminst vanzelfsprekend was. Vreemde volkeren werden door de Grieken immers vooral als minderwaardig beschouwd. Grieken voelden zich superieur, ze beschouwden niet-Grieken als barbaren, omdat zij een taal spraken die hun als gebrabbel in de oren klonk. De inlevende woorden van Herodotus moeten hen hebben verbaasd en bij sommigen zelfs ergernis hebben opgewekt, zij voelden zich meer thuis bij de tragedieschrijver Aeschylus, die toen de Perzische koning Xerxes zich opmaakte om Griekenland te veroveren en een scheepsbrug over de Hellespont legde teneinde zijn immense leger te kunnen overzetten, opmerkte dat Xerxes twee continenten trachtte te verenigen die niet te verbinden waren. Het waren niet de minste Grieken die deze opvatting huldigden. Aristoteles was een van hen. Hij adviseerde zijn leerling Alexander de Grote aan de vooravond van diens veroveringstocht naar het oosten de Perzen als onderdanigen te behandelen, omdat ze nu eenmaal minder waren dan de Grieken en tot dienstbaarheid gedoemd.

Kritiek is Herodotus niet bespaard gebleven. Er waren genoeg Grieken en later Romeinen, die niets moesten hebben van zijn methode van geschiedschrijving. Soms spraken ze zich tegen hem uit, omdat men het nu eenmaal gewoon vond dat historici hun voorgangers betichtten van onnauwkeurigheid, onbewijsbare feiten of onbetrouwbaarheid. De een was daar wat milder in dan de ander. Waar Thucydides zijn kritiek op Herodotus in algemene bewoordingen verpakt, zonder hem bij naam te noemen, speelt Ktesias van Knidos fel op de persoon. Hij was als krijgsgevangene in 415 v.Chr. in Perzische handen gevallen en was tot 398 v.Chr. de lijfarts van de Perzische koning geweest. Hij had dus enig recht van spreken als het ging om kwesties die de Perzen betroffen. Maar op grond van de fragmenten die van zijn werk zijn overgeleverd krijgen we niet de indruk dat hij hard kan maken dat Herodotus maar wat had gefantaseerd. Hij bereikte er evengoed wel mee dat het beeld ontstond dat Herodotus een leugenaar en een fantast was. Dat negatieve imago is Herodotus nooit meer helemaal kwijtgeraakt en soms trad het in volle hevigheid op de voorgrond. De Griek Plutarchus, een kamergeleerde, noemde in de tweede eeuw van onze jaartelling Herodotus een barbarenvriend, een fantast en een goochelaar met getallen, omdat hij niet eens wist uit hoeveel soldaten het Perzische leger had bestaan dat tegen Griekenland was opgetrokken. Bovenal maakte hij hem uit voor leugenaar. Hij zou een partijdige voorstelling van zaken hebben gegeven.

De discussie over de vraag of Herodotus feiten en fictie niet van elkaar wist te scheiden of dat hij juist de eerste serieuze onderzoeker was, is na de oudheid niet verstomd. Herodotus is eigenlijk altijd omstreden gebleven. Aan het einde van de negentiende eeuw stond men zelfs uitgesproken negatief tegenover zijn werk. Men achtte de term 'vader van de geschiedenis' misplaatst en sprak liever van 'vader van de leugen'. Hij zou er lustig op los hebben gefantaseerd en het niet zo nauw hebben genomen met de waarheid. Natuurlijk riep dat weer reacties op van anderen die het waarheidsgehalte van de informatie van Herodotus juist prezen en daarbij verwezen naar door moderne etnografen en antropologen aangedragen feiten, die soms grote gelijkenis vertonen met de door Herodotus geleverde gegevens.

Het is een nooit eindigend debat, maar hoe we ook over Herodotus denken, niemand kan er omheen dat hij in onze tijd een vooraanstaand reisjournalist zou zijn geweest. Natuurlijk kun je kritiek hebben op de manier waarop hij zijn verhaal heeft vormgegeven, maar je moet daarbij wel beseffen dat hij zich niet kon baseren op het werk van voorgangers. Hij heeft het allemaal zelf moeten uitvinden, als een pionier die zich moest inleven in de problematiek van de door hem bezochte landen. Hij deed verslag van zijn belevenissen in een begrijpelijke taal die niet alleen in zijn eigen tijd maar ook daarna velen heeft aangesproken. Niemand kan om de constatering heen dat Herodotus aan de basis staat van de reisliteratuur en dat zijn invloed tot op de dag van vandaag zichtbaar is. Zijn methode van waarneming, van hoor en wederhoor, van gesprekken met de lokale bevolking, met priesters en paleismedewerkers, mag niet altijd serieus genomen zijn door geleerden die vinden dat ieder feit geverifieerd moet worden, hij heeft er ook bewondering mee geoogst van mensen die zijn impressionistische benadering kunnen waarderen.

Een van zijn grootste bewonderaars was de Poolse schrijver Ryszard Kapuscinski (1932-2007). In *Reizen met Herodotos* legt hij omstandig uit wat hem zo trof in het werk van de vader van de geschiedenis. Hij spreekt over hem als over een persoonlijke vriend. Op de vele reizen die hij door Azië en Afrika heeft gemaakt, had hij Herodotus' *Historiën* altijd binnen handbereik. Onder moeilijke omstandigheden gaf de tekst hem troost en op rustige momenten moest hij soms onbedaarlijk lachen om Herodotus' humor. Voor de wereldreiziger Kapuscinski was het niet belangrijk of alle feiten van Herodotus controleerbaar waren, hij zag hem als een inspirator die toegaf aan zijn nieuwsgierigheid en de wijde wereld in trok om zijn landgenoten verslag te doen van zijn wederwaardigheden. Kapuscinski signaleerde als geen ander dat uit die passie voor het nieuwe, het onbekende, een boeiend boek was ontstaan, dat als het begin van de reisliteratuur kan worden beschouwd.

Ik ben het volledig met Kapuscinski eens, als hij stelt dat Herodotus de mensen probeerde te begrijpen en hun handelen plaatste in de context van de maatschappij waarin zij leefden. Hij zag vooral het goede in de mens en meende dat hun misstappen voortkwamen uit hun regeringssystemen. Perzen waren geen slechtere mensen dan Grieken, maar ze zaten gevangen in een in Griekenland achterhaald politiek systeem, de monarchie, die hen anders, minder vrij maakte. Geen systeem kan echter verhinderen dat individuen zich dapper en grootmoedig gedragen en ook onder de Perzen waren mensen te vinden die zich in positieve zin hadden onderscheiden. Door over hun heldendaden en over de tekortkomingen van anderen te schrijven heeft Herodotus ons een inkijkje in de menselijke ziel gegeven. Daar ligt zijn kracht. Wie hem leest maakt een reis door de mensheid, want over welk volk hij ook schrijft, welke vreemde gewoonten hij ook belicht, hij is altijd informatief en boeiend, omdat iedere maatschappij ons iets te zeggen heeft.

Herodotus is niet alleen de bekendste maar ook de beste schrijver van reisliteratuur die de oudheid heeft voortgebracht, vermoedelijk omdat zijn verhalen over onbekende volkeren niet op zichzelf staan maar onderdeel uitmaken van de geschiedenis van de Perzische Oorlogen. Anderen hebben in zijn voetsporen willen treden, maar de resultaten van hun onderzoekingen halen het niet bij zijn verhandelingen. De geograaf Strabo (eerste eeuw v.Chr.) mag dan wel beweren dat Herodotus minder betrouwbaar was dan de dichters Homerus en Hesiodus, maar in zijn beschrijvingen van Aziatische volkeren ontbreekt de begripvolle toon van Herodotus. Hij blijft steken in een opsomming van interessante gegevens. Herodotus nodigde zijn lezers uit om zijn persoonlijke bevindingen met hem te delen, de andere reisschrijvers bieden het lezerspubliek vooral informatie.

Herodotus' geschiedverhaal lijkt in de verste verte niet op een reisgids. Wie in zijn spoor door Griekenland en het Nabije Oosten wil reizen, vindt in zijn werk weinig aanknopingspunten. Herodotus geeft geen gedetailleerde beschrijvingen van de steden die hij bezocht. Hij beperkt zich tot opmerkingen die relevant zijn voor de context van zijn verhaal. Als hij het heeft over de oude stad Babylon begint hij zijn betoog met de zakelijke mededeling dat de stad in een grote vlakte ligt en vierkant is. Hij geeft vervolgens de afmetingen van de stad, vertelt iets over de ommuring, de straten en de huizen en eindigt met het heiligdom van de oppergod. Nauwelijks twee bladzijden voor een prachtige stad met een zeer rijk verleden dat terugging tot een periode waarin in Griekenland de grote paleisburchten nog gebouwd moesten worden. Niet een gebrek aan belangstelling voor de Babylonische cultuur lag hieraan ten grondslag, maar de veronderstelde interesse van zijn lezerspubliek. Beter dan wie ook wist Herodotus dat de Grieken vooral geïnformeerd wilden worden over de tegenstellingen tussen Oost en West, dat zij wilden horen hoe het mogelijk was geweest dat de Grieken de Perzen hadden verslagen. Bovendien hoefde hij zijn lezers geen aanwijzingen te geven over stedenbouwkundige bijzonderheden, omdat de kans dat zij een reis door het Perzische rijk zouden gaan maken gering was. Slechts een enkeling durfde het aan en reisde naar het Oosten. Voor de meeste Grieken bleven Perzië en Griekenland twee gescheiden cultuurblokken.

Grieken reisden binnen hun wereld van stad naar stad, niet voor hun plezier maar omdat het moest. Overheidsdienaren, artsen, atleten en handelaren waren op zoek naar plaatsen waar ze hun 'kunsten' konden vertonen. Toerisme was er nauwelijks, aan gedetailleerde informatie bestond dus nog niet echt behoefte. Mensen die naar Delphi en Olympia reisden, deden dat omdat ze het orakel wilden raadplegen of het grootste sportfestival wilden bijwonen. Het ging hen niet speciaal om architectonische schoonheid. Als ze daarover toch meer wilden weten, konden ze zich ter plaatse door gidsen laten bijpraten.

De veranderingen kwamen met Alexander de Grote (336-323 v.Chr.). Door zijn veroveringen werd het Oosten ontsloten en kwamen er migratiestromen op gang. De *oikoumenè*, de bewoonde wereld, kreeg een ander aanzien. Op veel plaatsen in het voormalige Perzische rijk werden Griekse steden gesticht en in het moederland wilden steeds meer mensen met eigen ogen de imposante monumenten van de Perzen en de Egyptenaren aanschouwen. Er kwam een mentaliteitsverandering en potentiële reizigers wilden uitvoerig geïnformeerd worden over bezienswaardigheden waarover ze vaak hadden horen spreken en die nu binnen hun bereik lagen. Als antwoord hierop werden reisgidsen (*periégèseis*) uitgebracht, die helaas slechts in fragmenten bewaard gebleven zijn. In hun verminkte toestand suggereren ze dat toeristische reizen niet meer waren voorbehouden aan een kleine elite, maar dat steeds grotere groepen zich op pad begaven om de culturele hoogstandjes uit het verleden met eigen ogen te aanschouwen.

De echte omslag kwam in de tweede eeuw v.Chr., toen het voormalige rijk van Alexander stukje bij beetje in Romeinse handen kwam. De overwinnaars hoorden over de prestaties van de door hen verslagen volkeren en wilden de grootste wonderen van de verschillende beschavingen bezoeken. Aemilius Paullus was in 168 v.Chr., kort nadat hij de Macedoniërs had verslagen, een van de eerste Romeinen die in Griekenland een toeristische reis aan zijn militaire optreden vastknoopte. Zijn voorbeeld kreeg navolging, want in de volgende twee eeuwen reisden vele vooraanstaande Romeinen naar Griekenland en de wereld van het Nabije Oosten. De Zeustempel in Olympia, het orakel van Delphi, de Colossus van Rhodos, de Artemistempel in Ephese, het Mausoleum in Halicarnassus, de vuurtoren van Alexandrië en de piramides van Egypte werden beroemde bezienswaardigheden voor cultureel geïnteresseerde Romeinen. De autoriteiten in de verschillende plaatsen speelden op die belangstelling in en trokken lokale gidsen aan om de bezoekers bij te praten. Ook schrijvers stortten zich op de groeiende behoefte aan informatie. Een van hen was Pausanias, een Griek uit het gehelleniseerde Oosten, die het geluk had te leven in de tweede eeuw, toen de keizers in Rome een grote belangstelling aan de dag legden voor alles wat Grieks was. Vooral keizer Hadrianus (118-137) heeft sterk bijgedragen aan de Griekse renaissance. Hij verbleef geruime tijd in Griekenland, sprak goed Grieks, droeg de Griekse filosofenbaard, richtte in Athene, Corinthe en andere steden monumentale gebouwen op en stimuleerde de Romeinen om de hoogtepunten van de Griekse beschaving te bezoeken. De impuls die van Hadrianus uitging was zo groot, dat er van een echte doorbraak van het toerisme gesproken kan worden. Velen boekten passage op een van de grote vrachtschepen en voeren naar Griekenland en Klein-Azië.

Pausanias' reisboek sloeg aan omdat het tegemoet kwam aan de wensen van de toeristen, die zich nu vóór vertrek naar Griekenland konden inlezen en voorbereiden op wat ze daar te zien zouden krijgen. Anders dan Herodotus wijdde hij uitvoerig uit over alle bezienswaardigheden in Olympia, Delphi en Athene, zodat zijn lezers direct in de gelegenheid waren om van ieder bijzonder bouwwerk de mythologische en historische context snel te achterhalen. Pausanias' uitleg over de Akropolis in Athene is een goed voorbeeld van zijn informatieverstrekking:

> Er is maar één toegangsweg naar de Akropolis, een andere is niet mogelijk, omdat het hele terrein steil is en versterkt met een stevige muur. De monumentale poort heeft een dak van wit marmer, en de schoonheid en grootte van de marmerblokken zijn tot nu toe nimmer geëvenaard [...]. Ter rechterzijde van de poort is een heiligdom van de 'Overwinning zonder vleugels'. Vandaar kan men de zee zeer goed zien; en het was op deze plaats, zo wordt verteld, dat Aegeus zichzelf in zee stortte en omkwam. Want het schip dat de kinderen naar Kreta bracht, placht met donkere zeilen uit te varen; maar toen Theseus vol durf uitvoer om de stier, Minotaurus genaamd, te bestrijden, vertelde hij zijn vader dat hij witte zeilen zou hijsen wanneer hij zou terugvaren na zijn overwinning op de stier; maar nadat hij zich van Ariadne had ontdaan, vergat hij dat te doen. Toen Aegeus het schip met zwarte zeilen zag terugkeren, dacht hij dat zijn zoon dood was, stortte zich naar benden en vond de dood.
> (Pausanias, *Periégèsis* 1,22,4-5)

Pausanias verdient alle lof voor de wijze waarop hij de bekendste steden van heel Griekenland heeft beschreven en de belang-

Akropolis (foto Peter Biemans)

rijke bouwwerken in hun rijke historische en culturele context bespreekt. De geschiedenis ervan komt tot leven. Enig chauvinisme is hem overigens niet vreemd. Het ging hem uitsluitend om het Griekse verleden. Wat de Romeinen daaraan hadden toegevoegd achtte hij van ondergeschikt belang. Ik kan me niet aan de indruk onttrekken dat de Griek Pausanias zijn Romeinse lezers wilde voorhouden dat ze de Grieken wel hadden overwonnen, maar dat ze zich niet te veel op de borst moesten kloppen omdat ze cultureel inferieur waren. Ze beschikten niet over de mythen, legenden en historische verhalen die de Griekse geschiedenis zo uniek maakten.

Die eenzijdige doelstelling geeft het werk een zekere beperking. Omdat alles is geconcentreerd op het Griekse verleden mist de lezer informatie over andere zaken. De geografie komt er bekaaid van af en relevante informatie over alledaagse zaken als de toegankelijkheid van de steden en het leven van de inwoners ontbreekt nagenoeg geheel. Om die reden kun je zijn werk ook niet een moderne reisgids noemen. Men heeft Pausanias wel eens de Karl Baedeker van de oudheid genoemd, maar die typering is misplaatst omdat Pausanias louter een *periégèsis* biedt, een rondleiding door de historie en de cultuur van de steden.

Pausanias is zeker niet de Herodotus van de Romeinse tijd. Beiden reisden rond met heel andere bedoelingen. Herodotus zocht verklaringen voor de Perzische Oorlogen en bezocht landen en steden om de mens achter de oorlogen te leren kennen. Zijn beschrijvingen van opvallende monumenten vormden de omlijsting van zijn zoektocht naar de mens achter het grote conflict tussen Grieken en Perzen. Pausanias' doel was de Romeinen te laten zien waartoe zijn voorouders in staat waren geweest. Hij beschreef de monumenten uit de roemrijke Griekse geschiedenis tot in detail. Mythische vertellingen en wonderlijke anekdotes zetten zijn uitweidingen kracht bij.

De vraag dringt zich op welke auteur we in onze koffer moeten doen als we een verkenningstocht door de Griekse wereld maken: Herodotus of Pausanias? Het is een vraag die mij al een tijdje bezighoudt sinds ik toeristen door Griekenland rondleid. Op het eerste gezicht geef ik de voorkeur aan Herodotus. Zijn aandacht voor de mens, zijn psychologische verklaringen en zijn humor doen aangenaam aan vergeleken bij de wat droge taal van Pausanias. Maar aan de andere kant: als je Pausanias leest krijg je meteen te horen waarvoor je gekomen bent. De wijze waarop hij de talloze mythen en verhalen die in de oudheid de ronde deden minutieus in zijn betoog weet te verwerken, getuigt van een deskundigheid en een ijver die niet onderdoen voor die van de vader van de geschiedenis. Daarbij komt dat als je met Pausanias in de hand een opgraving bezoekt, je het idee hebt dat je geen buitenstaander bent, dat je ingevoerd wordt in een lange geschiedenis. De steden komen tot leven en worden toegankelijker. Voor toeristen, die soms geen wijs kunnen worden uit al die versteende ruïnes, is dat niet onbelangrijk. Misschien is het geen slecht idee om beide schrijvers maar op reis mee te nemen. Zo zwaar zijn hun boeken nu ook weer niet.

Een nieuw volk, een nieuw geluid

De Romeinen hadden een officieel woord voor hun godsdienst: *religio*. Met die term gaven zij aan dat hun godsdienst een collectieve beleving was, een gemeenschappelijk eerbetoon aan de goden van de staat, en dat iedereen, van hoog tot laag, van de keizer tot de man in de straat, daarin een functie had. Ze waren van mening dat de wereld in hun macht was gekomen doordat ze altijd aan hun religieuze verplichtingen hadden voldaan. De goden hadden hen daarom altijd beschermd. Het was voor hen boven iedere twijfel verheven dat hun religieuze systeem beter was dan de godsdiensten van de overwonnen volkeren. Van de verslagenen verlangden ze dan ook dat ze zich aanpasten aan de Romeinse religie, die nooit onveranderlijk of statisch was geweest, maar mede gevormd door invloeden van buitenaf en daardoor ook voor niet-Romeinen aantrekkelijk. Zolang de aanhangers van andere godsdiensten de kernpunten van de Romeinse godsdienst onderschreven en geen ideeën uitdroegen die in strijd waren met wat de Romeinen geloofden, waren er geen onoverkomelijke problemen. Godsdiensten die naar het oordeel van de Romeinen een bedreiging vormden voor de stabiliteit van de staat werden *superstitio* ('bijgeloof') genoemd. De aanhangers van deze geloofsbewegingen, zo was de gangbare argumentatie, hechtten meer aan hun eigen belangen dan aan het welzijn van de staat. Hoe groter de kloof tussen de Romeinse denkwereld en de andere ideologie, des te harder haalden de Romeinen uit naar de aanhangers ervan. De volgelingen van een voor hen onbekende god werden niet alleen gehekeld en beschimpt, ze werden algauw zelfs als staatsgevaarlijk beschouwd.

Geen van de door de Romeinen als *superstitio* betitelde vreemde godsdiensten heeft zoveel Romeinse pennen in beweging gebracht als het christendom. Aanvankelijk had het er helemaal niet naar uitgezien dat de Joodse messianistische sekte in Galilea en Judea onder leiding van Jezus zou uitgroeien tot een godsdienst met volgelingen in het hele Romeinse rijk. De Romeinen verkeerden na Jezus' vernederende kruisdood in de veronderstelling dat de sekte een marginaal verschijnsel zou blijven en weldra zou verdwijnen. Misschien zou dat ook zijn gebeurd als enige jaren na Jezus' dood Paulus niet op het toneel was verschenen, een krachtdadig, koppig en moeilijk man, maar juist door die eigenschappen uitermate geschikt om de boodschap van Jezus uit te dragen. Bovendien was hij in tegenstelling tot de eerste apostelen, vissers en handwerkslieden uit Galilea, een man van de wereld. In feite was hij een kind van drie werelden: de Joodse, de Griekse en de Romeinse. Hij hoorde bij de Joden in Palestina en hun diaspora, hij was geboren in Tarsus, een Griekse stad in Cilicië, en hij bezat het Romeinse burgerrecht. Ook zijn voorgeschiedenis was opmerkelijk: hij had een reputatie als vervolger, hij had sympathisanten van Jezus uit hun huizen gesleurd en bij de gevangenis afgeleverd en had publiekelijk zijn instemming betuigd met de moord op de christen Stephanus. Met datzelfde fanatisme zette hij zich na zijn bekering in voor de verspreiding van het christendom. Door zijn zendingsreizen in de oostelijke mediterrane wereld en de brieven die hij onderweg schreef heeft hij het nieuwe geloof vormgegeven. Dankzij zijn vasthoudendheid kon de Joodse sekte uitgroeien tot een grote geloofsbeweging met aanhangers in het hele Romeinse rijk.

Lucas, de schrijver van de Handelingen van de Apostelen, heeft ons goed geïnformeerd over de werkwijze van Paulus op zijn lange reizen. Er is een vast patroon waarneembaar. Na aankomst in een stad ging hij samen met zijn metgezellen eerst naar de synagoge, waar hij tijdens de sabbatdiensten zijn zaak bepleitte. Wanneer hij in Joodse kring op weerstand stuitte, en dat gebeurde heel vaak, zocht hij zijn toevlucht bij individuen, die zich meer ontvankelijk toonden voor zijn expliciete denkbeelden. Voor compromissen met de bestaande godsdiensten was geen ruimte. Een mooi voorbeeld van Paulus' eigenzinnige denktrant is te vinden in zijn bezoek aan Athene tijdens zijn tweede zendingsreis, die begon in het jaar 46 en hem in veel steden in Klein-Azië en Griekenland bracht. De auteur van Handelingen, Lucas, schrijft hierover (17:16-21):

> Terwijl Paulus in Athene op hen [zijn metgezellen Silas en Timotheüs] wachtte, raakte hij hevig verontwaardigd bij het zien van de vele afgodsbeelden in de stad. In de synagoge sprak hij met de Joden en met de Grieken die de God van Israël vereerden, en op het marktplein ging hij dagelijks in debat met de mensen die hij daar aantrof. Onder hen waren ook enkele epicureïsche en stoïsche filosofen, van wie sommigen zeiden: 'Wat beweert die praatjesmaker toch?' Anderen merkten op: 'Hij schijnt een boodschapper van uitheemse goden te zijn,' omdat ze dachten dat hij predikte over Jezus en een godin die Opstanding heette. Ze namen hem mee naar de Areopagus en zeiden: 'Kunt u ons uitleggen wat die nieuwe leer is die door u wordt uitgedragen? Want wat u zegt klinkt ons vreemd in de oren, we willen graag weten wat u bedoelt.' Alle Atheners en de vreemdelingen die er wonen hebben immers voor haast niets anders tijd dan voor het uitwisselen van de nieuwste ideeën.
>
> Paulus richtte zich tot de leden van de Areopagus en zei: 'Atheners, ik heb gezien hoe buitengewoon godsdienstig u in ieder opzicht bent. Want toen ik in de stad rondliep en alles wat u vereert nauwlettend in ogenschouw nam, ontdekte ik ook een altaar met het opschrift: "Aan de onbekende God". Wat u vereert zonder het te kennen, dat kom ik u verkondigen.'
>
> (Nieuwe Bijbelvertaling)

Een satirisch graffito op de Palatijn in Rome, met een man en een gekruisigde ezel. Daaronder staan de woorden Alexamenos aanbidt zijn god.

En dan volgt er een betoog over God die de wereld heeft gemaakt en heerst over hemel en aarde. Paulus gaat niet omzichtig te werk, hij stuurt niet aan op een vergelijk tussen de oude Romeinse *religio* en het christendom, hij draait de rollen om door de Romeinse godsdienst als *superstitio* te betitelen en zijn geloof als het enig ware aan te prijzen. Met die frontale aanval op de Romeinse *religio* weet hij de Atheners niet te overtuigen, maar hij zet er wel de toon mee in de confrontatie tussen Romeinen en christenen. De schrijver van Handelingen doet het voorkomen alsof het nog slechts een kwestie van tijd is dat iedereen in het Romeinse rijk de nieuwe godsdienst zal omarmen. Maar in zijn tijd waren daarvoor nog geen aanwijzingen. De polytheïstische godsdienst van de Romeinen had overal in het grote Romeinse rijk ingang gevonden en een felle strijd van de God van de christenen tegen de goden van de Romeinen lag nog niet in de lijn der verwachting. Wel moesten de Romeinen erkennen dat de nieuwe godsdienst zich sneller ontwikkelde dan hun lief was. Het was dan ook geen toeval dat toen een groot deel van Rome in het jaar 64 in vlammen opging, keizer Nero de christenen de schuld daarvoor in de schoenen probeerde te schuiven. Niet dat zij werkelijk iets met de brand te maken hadden, maar hun onverzoenlijke houding, hun afwijzing van de Romeinse *religio*, maakte hen voor de Romeinen tot staatsvijanden.

De vraag is wat de Romeinen zo anti-christelijk maakte. Mensen met een andere godsdienst waren altijd welkom geweest in Rome. Uit alle delen van de wereld waren vreemdelingen er samengestroomd en ze hadden hun goden meegenomen, zonder dat hun veel hindernissen in de weg werden gelegd. Sommige goden uit het Oosten, zoals Cybele, Isis en Serapis, hadden zelfs tempels in het centrum van de stad gekregen. De enige voorwaarde waaraan vreemdelingen moesten voldoen om in de Romeinse samenleving een plek te krijgen was, dat ze zich hielden aan de gangbare normen en waarden, dat ze geen pogingen ondernamen de grondslagen van de Romeinse maatschappij te ondermijnen. En daar lag het probleem met de christenen. Zij tornden aan het bestaansrecht van de goden en de ordening van de samenleving, die gekenmerkt werd door immense tegenstellingen tussen een kleine, bevoorrechte groep van leden van de elite en de grote meerderheid van het gewone volk. Bovendien stelden ze zich zeer expansief op. Door zich te richten tot de onderklasse van de bevolking, tot slaven, arbeiders, handwerkslieden, onontwikkelde vrouwen, vreemdelingen en anderen aan wie de leden van de elite zich nooit iets gelegen hadden laten liggen, en hun de beginselen van het christendom voor te houden gaven de christenen meer mensen dan ooit het idee dat ze een factor van betekenis waren en niet alleen maar getolereerd werden.

Het was voor de Romeinen frustrerend de kritiek van de christenen, minderwaardige buitenstaanders in hun ogen, te moeten aanhoren. Misschien wel de meest shockerende opmerking kwam uit de pen van Origenes, een christelijke apologeet uit het begin van de derde eeuw. Met zijn uitspraak dat het christendom de ware godsdienst was en de staatsgodsdienst van de Romeinen niet meer dan een vals bijgeloof, net als alle andere godsdiensten in het Romeinse rijk, trad hij rechtstreeks in de voetsporen van Paulus. Ook hij liet er geen twijfel over bestaan dat de tijd rijp was voor een andere samenleving, waarin iedereen, rijk en arm, burger en slaaf, ontwikkeld en onontwikkeld, autochtoon en allochtoon, dezelfde plaats zou krijgen. De in de oude Romeinse maatschappij geldende waarden, die standgebonden, regionaal bepaald en religieus geïnspireerd waren, hadden een samenleving tot stand gebracht die geen eenheid vormde, omdat de belangen van al die groepen sterk uiteenliepen. Het was volgens hem tijd voor een nieuwe maatschappelijke orde waarin niet de filosofische 'waarheden' centraal moesten staan, maar het geloof in Jezus. Tegenstellingen zouden verdwijnen omdat alle gelovigen behoorden tot *een nieuw volk*, dat niet verdeeld was door de traditionele scheidslijnen.

Origenes was zich er terdege van bewust dat zijn idee van een nieuwe maatschappij moeilijk te realiseren zou zijn. De Romeinse keizers en de senaat zouden nooit toelaten dat de christenen een nieuwe weg naar welzijn en geluk propageerden en de oude waarden, waardoor Rome groot was geworden en waaraan zoveel vreemdelingen zich de afgelopen eeuwen hadden aangepast, afwezen. Maar Origenes had goed gezien dat de verhoudingen in de Romeinse maatschappij minder vastlagen dan gedacht. De opkomst van het christendom bracht verschuivingen teweeg omdat mensen met een zeer verschillende achtergrond zich bij de nieuwe geloofsbeweging aansloten. Arme proletariërs, eenvoudige handwerkslieden, ontheemde vreemdelingen, maar ook leden van de Romeinse en lokale elites vonden de weg naar Christus. De oude spanningen tussen elite en volk, tussen autochtone Romeinen en vreemdelingen, werden daardoor naar de achtergrond gedrongen. Het ging nu om een strijd tussen de verworvenheden van de oude Romeinse beschaving en de idealen van het nieuwe christendom. Het vreemde, het onbekende, had een ander gezicht gekregen. De woordvoerders van dat 'nieuwe vreemde' waren ervan overtuigd dat dit nog maar het begin was van een ontwikkeling die zou leiden tot een volledige doorbraak van het christendom. De apologeet Tertullianus (*Apologeticum* 37,4) drukte de toekomstverwachting kernachtig uit:

> Gisteren zijn wij verschenen, maar nu al vullen we alles wat van u is, steden en eilanden, gemeenten, vergaderruimten, legerkampen, stadswijken, het keizerlijk paleis, de senaat en het forum. Het enige dat we jullie gelaten hebben zijn jullie tempels.

Toen Tertullianus deze woorden opschreef, waren er bijna tweehonderd jaar verstreken sinds Paulus in zijn Eerste brief aan de Corinthiërs had geschreven dat de macht van de heersers van deze wereld teloorgaat, omdat zij niet weten van de verborgen wijsheid van God. De Romeinen hadden zich daar niet al te druk om gemaakt, zeker als ze ervan waren dat het nooit zover zou komen. De groei van het christendom maakte hen wel alerter. Het christendom was geen kleine splintergroepering meer, maar was uitgegroeid tot een nieuwe gemeenschap die werd gezien als een bedreiging van de Romeinse identiteit. De christenen van hun kant maakten er geen geheim van dat ze een ideologie aanhingen die onoverbrugbare verschillen vertoonde met die van de Romeinen. Dat ze door de Romeinen in een kwaad daglicht werden gesteld, dat ze beticht werd van vreemde, buitenissige praktijken en zelfs beschuldigd werden van kannibalisme en andere misdrijven, alleen maar om hen zwart te maken en buiten te sluiten, deerde hen niet. Ze hadden het gelijk aan hun zijde en presenteerden hun *religio* in woord en geschrift als het alternatief voor de Romeinse *superstitio*. De razernij die zij van volksmenigten te verduren kregen maakte hen alleen maar sterker en standvastiger, zoals we kunnen lezen in het verslag van de martelingen van christenen in Lyon in 177, dat is opgenomen in de *Kerkgeschiedenis* van Eusebius in het begin van de vierde eeuw. Eén gelovige wordt er in dat propagandistische verhaal op een opvallende manier uitgelicht: Sanctus, een diaken uit Vienne. Wanneer hem onder hevige folteringen wordt gevraagd te vertellen wie hij is, wat zijn werkelijke naam is, uit welke stad hij afkomstig is, en of hij een vrijgeborene of een slaaf is, geeft hij steeds hetzelfde antwoord: 'Ik ben christen'. Verder niets. Als zijn beulen doorvragen, blijft hij zijn antwoord herhalen. Dat is veelzeggend, want Sanctus geeft met dit antwoord aan dat zijn achtergrond, zijn geboorteplaats, zijn volk en zijn status er door zijn toetreding tot de christelijke gemeenschap niet meer toe doen. Hij is als het ware herboren in *het volk van de christenen* en al het oude heeft daarmee zijn waarde verloren.

Dit incident staat niet op zichzelf. Drie jaar later deed zich in Scili, een klein plaatsje nabij het oude Carthago, tijdens een verhoor van christenen door proconsul Saturninus, iets gelijksoortigs voor, dat wederom laat zien dat de christenen zichzelf als een nieuw volk beschouwden, dat aan niemand verantwoording schuldig was. Als de gouverneur de christenen voorhoudt dat de keizer hen zal vergeven als ze weer bij zinnen komen, antwoordt Speratus, de woordvoerder van de christenen, dat ze niets misdaan hebben, dat ze alleen hun éígen keizer vereren. De Romein mag daar dan tegenin brengen dat *de Romeinen ook een religieus volk zijn en hun keizer eer bewijzen*, zijn argumenten zijn aan dovemansoren gericht. De christenen stellen hun waarden tegenover de Romeinse. En als de gouverneur hun een bedenktijd van dertig dagen geeft, antwoordt Speratus alleen maar dat hij christen is. Daarmee geeft hij impliciet aan dat een vergelijk niet mogelijk is, dat de leefwerelden van het volk van de Romeinen en het volk van de christenen daarvoor te ver van elkaar verwijderd zijn.

Omdat een verzoening in de volgende decennia uitbleef, kon de Romeinse overheid met een beschuldigende vinger naar de christenen blijven wijzen en hen niet alleen als buitenstaanders uit allerlei functies weren, maar hen ook als 'zondebokken' bestempelen en hun de schuld geven van de economische achteruitgang en de nederlagen tegen de barbaren aan de grenzen.

Hoe we ook naar het conflict tussen Romeinen en christenen kijken, we kunnen er niet omheen dat beide groeperingen met een onverzoenlijke hardheid de confrontatie zijn aangegaan. De Romeinen zijn er steeds van uitgegaan dat de christenen gewone vreemdelingen waren die zich aan hún *religio* moesten aanpassen en twijfelden er niet aan dat de beproefde methoden uit het verleden ook nu toereikend zouden zijn om hen in het gareel te krijgen. Het kwam niet bij hen op dat de inpassing van de christenen in hun maatschappelijk bestel een andere aanpak vereiste dan die van de overige vreemdelingen, die gemakkelijk in de samenleving konden worden geïntegreerd omdat ze de suprematie van de Romeinen erkenden en dezelfde goden aanbaden. De christenen werden, zoals gezegd, aanvankelijk gezien als niet meer dan een vreemde sektarische groep die geen gevaar opleverde en snel zou vervliegen. Hoewel het christendom steeds meer aanhangers kreeg en de dreiging dus toenam, volhardden de Romeinen in die opstelling. De christenen van hun kant hebben zich eveneens ingegraven in hun onverzoenlijke opstelling. In navolging van Paulus, die in zijn Brief aan de Romeinen (12:2) had geschreven dat ze zich niet moesten conformeren aan de wereld van de Romeinen, maar door hun nieuwe manier van denken erachter moesten komen wat Gods wil was, hebben ze er alles aan gedaan om een alternatief te vinden voor het Romeinse religieuze en maatschappelijke bestel. Door hun afwijkende houding werden ze door de Romeinen afgeschilderd als minderwaardige buitenstaanders, maar dat deerde hen niet. Ze voelden zich mensen van een nieuw volk dat op termijn de Romeinen uit het centrum van de macht zou verwijderen. Uiteindelijk is hun dat ook gelukt, in de vierde eeuw, tot verbijstering van de Romeinen, die nooit gedacht zullen hebben dat het verderfelijke bijgeloof van het christendom hun staatsgodsdienst zou aflossen en dat hun onoverwinnelijke goden ooit zouden worden bestempeld als afgoden.

Martelaren uit vrije wil

Er gaat bijna geen dag voorbij of de media berichten ons over aanslagen van uit moslimkringen afkomstige zelfmoordcommando's. Geen plek lijkt meer veilig voor hun gewelddadige slachtpartijen. Aanvankelijk overheerste de opvatting dat het vooral arme moslims waren die uit wanhoop die gruwelijke dood zochten. Maar de tijd heeft geleerd dat die opvatting niet houdbaar is, en dat er vaak wel degelijk andere, religieuze motieven in het spel zijn. De zelfmoordcommando's die zich met een vliegtuig de Twintowers van New York inboorden, waren geen verpauperde sloebers maar goed opgeleide mannen met goede vooruitzichten in de maatschappij. Ook Mohammed B., die Theo van Gogh vermoordde, kwam niet slechts uit wanhoop tot zijn daad, maar mede vanuit een intense beleving van zijn geloof, zoals hij tijdens het proces verklaarde. Irshad Manji, de Canadese auteur van het boek *Het Islamdilemma*, laat er in een in juli 2007 in *de Volkskrant* verschenen artikel geen twijfel over bestaan dat religie aan de basis staat van veel zelfmoordacties. Om zijn stelling kracht bij te zetten voert hij Mohammed al-Hindi, de politieke leider van de Islamitische Jihad, als getuige op. Al-Hindi, zelf arts, beklemtoont dat er een wezenlijk verschil is tussen zelfmoord en martelaarschap. Zelfmoord wordt gepleegd uit wanhoop, terwijl de martelaren (*shahûd*) die hun leven gaven voor de zaak van de islam succesvol in het leven stonden. Zij voerden een Heilige Oorlog in naam van Allah. Lang niet iedereen is het met de analyse van Irshad Manji eens, sommigen zwijgen, uit angst het moslimfundamentalisme verder aan te wakkeren, de beweegredenen

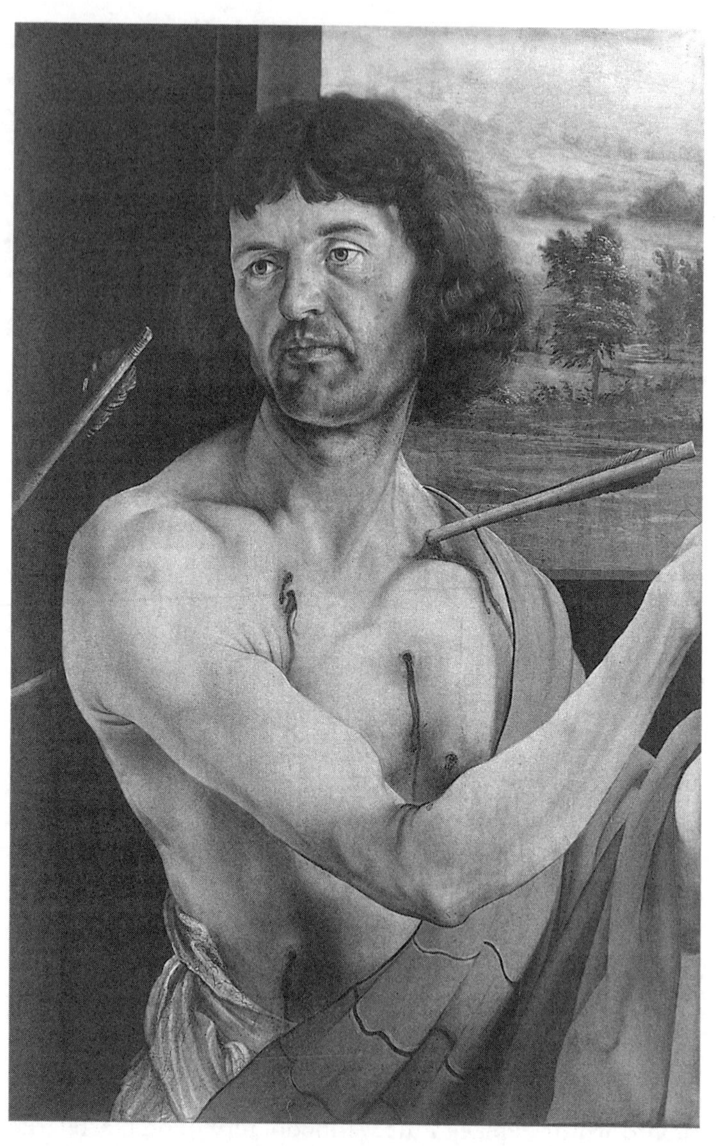

Matthias Grünewald, De martelaar Sebastiaan, Isenheim-altaarstuk
(1511-1515), Colmar

van de martelaren liever dood, anderen halen de religieuze lading er uit. Wie dat doet negeert de oergeschiedenis van de begrippen 'Heilige Oorlog' en 'martelaar'. Het optreden van deze martelaren van het geloof doet namelijk sterk denken aan bepaalde christelijke martelaren die in de Romeinse wereld voor hun geloof zijn gestorven. Ook zij dachten dat ze met hun radicale acties hun leven voor God gaven. Net als de islamitische martelaren waren zij bereid in hun strijd tegen ongelovigen en ketters alles te doen voor de goede zaak, zelfs te sterven.

Voordat het zover was had het christelijke martelaarschap al een lange ontwikkeling doorgemaakt, wat goed is te zien aan de betekenisverandering van het woord waarmee de christenen hun martelaren benoemden: *martyr*. Oorspronkelijk werd het gebruikt in de betekenis van het Griekse werkwoord *martyromai*, dat letterlijk 'getuigen van' betekent. Een martyr was dus iemand die getuigenis aflegde van de ideeën waar hij voor stond. In de Klassiekgriekse wereld was een martyr gewoonlijk een getuige in rechtszaken. Zo werd het woord ook nog in de tweede helft van de eerste eeuw geïnterpreteerd, toen de evangeliën werden geschreven. De volgelingen van Christus die getuige waren van zijn kruisdood en wederopstanding werden *martyres* genoemd. Slechts eenmaal wordt martyr in de betekenis van martelaar gebruikt. Dat is wanneer er wordt gezegd dat het bloed van de martelaar Stephanus wordt vergoten. Maar bij de beschrijving van zijn steniging wordt het woord martyr niet gebruikt.

In de tweede en derde eeuw, toen christenvervolgingen elkaar snel opvolgden, kwam martyr in de betekenis van 'martelaar' in zwang. De eerste vermelding van iemand die als martyr sterft onder vijandelijke handen dateert uit ca. 167. In Klein-Azië onderging Polycarpus, de bisschop van Smyrna, de *martyria* ('martelaarsdood'), in de vaste overtuiging daarmee het eeuwige leven te verwerven. Hij trad met zijn lijden in de voetstappen van de Heer. Maar Polycarpus ging nog een stap verder.

Jezus had in de laatste ogenblikken van zijn leven angst getoond, maar had die aan het kruis overwonnen en daarmee zijn volgelingen de weg gewezen om vrij van angst de dood in te gaan. Polycarpus ontbeerde iedere vorm van angst, keek zijn beulen recht in de ogen en bepaalde met zijn onverschrokken houding de weg voor de toekomst.

Polycarpus en andere vroegchristelijke martelaren hadden er niet om gevraagd vermoord te worden door wilde dieren of beulen. Zij werden gedood omdat zij getuigden van hun geloof. Romeinse magistraten ergerden zich in toenemende mate aan de weigering van de christenen te participeren in de Romeinse offerdiensten, waardoor zij ook niet deelnamen aan de heerscultus, het rituele eerbetoon aan de keizer, een verplichting voor alle inwoners van het Romeinse rijk. Door hun weigering waren ze naar het oordeel van de Romeinen atheïsten en brachten ze de *pax Romana* in gevaar. Het rijk was immers met instemming en steun van de goden tot stand gekomen. Toch was het beleid van de keizers aanvankelijk terughoudend geweest. De eerste vervolgingen die rond 180 plaatsvonden waren oprispingen van lokale haat, van onvrede van gewone burgers over het vreemde gedrag van christelijke medebewoners. Van centraal geregisseerde vervolgingen was nog geen sprake, tot teleurstelling van fanatici, die de martelaarskroon wilden verwerven en bereid waren tot het uiterste te gaan om hun doel te bereiken. Zij grepen iedere gelegenheid aan om martelaar te kunnen worden, ook als daar geen aanleiding toe was. Tertullianus schrijft hoe in ca. 185 n.Chr., ruim zestig jaar voor de grote vervolgingen, een groep fanatieke christenen de Romeinse proconsul van de provincie Asia smeekte hen allemaal ter dood te brengen omdat ze christenen waren. Nadat hij het verzoek van enkelen had gehonoreerd, schreeuwden de overigen nog harder om ter dood gebracht te worden, waarop de gouverneur in opperste vertwijfeling uitriep: 'Zijn er dan niet genoeg rotsen om vanaf te springen of touwen om je aan op te knopen?'

Met de vervolgingen door de Romeinen in de derde eeuw en de eeuwige glorie die in christelijke kring inmiddels aan de martelaarsdood werd toegekend, nam het verlangen naar het martelaarschap sterk toe. Talrijk is het aantal vergelijkingen met atleten en soldaten. Origenes noemt martelaren kampioenen van God, soldaten van Christus. Die competitie ging naar de mening van Tertullianus te ver. Hij waarschuwde dat de marteldood geen wedstrijd mocht zijn om de hoogste eer te bereiken, geen strijd om de hoofdprijs. Fanatieke christenen hadden er geen boodschap aan. Zo zien we in de tweede helft van de derde eeuw dat er naast de martelaren die worden opgebracht omdat ze weigerden mee te doen aan de offerplechtigheden, zelfverklaarde martelaren komen met maar één doel voor ogen: de martelaarskroon. Bisschop Eusebius schrijft in het begin van de vierde eeuw dat hij in Opper-Egypte grote aantallen christenen zag die ter dood veroordeeld waren, en hij voegt eraan toe dat het in meerderheid 'vrijwilligers' waren die, als een van hen ter dood was veroordeeld, successievelijk opsprongen om de jury openlijk te bekennen dat ze christenen waren. En op Sicilië hoorde een gouverneur in het jaar 304 tot zijn verbazing iemand roepen: 'Ik wil sterven, want ik ben een christen.' De Romeinse overheidsdienaar riep laconiek: 'Laat de man die net riep binnenkomen.' De fanatieke christen kwam met de evangeliën onder zijn arm naar binnen en werd onmiddellijk op zijn wenken bediend.

Sommige historici suggereren dat er ook martelaren zijn geweest die tijdens de grote vervolgingen welbewust de dood hebben gezocht door misdrijven te plegen. Zij zouden het moment waarop zij voor de onderzoekscommissie moesten verschijnen niet geduldig hebben afgewacht, maar de autoriteiten hebben geprovoceerd door Romeinse tempels aan te vallen. Voor die opvatting is wel iets te zeggen, want er wordt in de bronnen enkele malen gewag gemaakt van bevlogen fanatici. Twee volgelingen van Athenogenes, een radicale bisschop in Cappadocië, waren tijdens de vervolging onder keizer Diocletianus in het laatste decennium van de derde eeuw in het bezit van een boekje met allerlei beledigingen aan het adres van de keizer. Toen ze door de gouverneur daarover werden ondervraagd, bekenden ze dat ze verscheidene Romeinse tempels in brand hadden gestoken, omdat ze die zagen als de woonplaatsen van de demonen die hun vervolgers inspireerden. Deze radicalen vormden toen nog slechts een kleine minderheid in het koor van martelaren. De meeste vervolgde christenen hielden zich aan de door Clemens van Alexandrië geformuleerde richtlijn dat ieder die door zijn gedrag aanleiding gaf tot een conflict met de overheid vervolgingen over zichzelf afriep.

Het keizerschap van Constantijn (307-337) vormt in vele opzichten een breuk met het verleden. Het christendom werd erkend en de vervolgingen behoorden tot het verleden. Het rijk werd op termijn christelijk, maar onderlinge tegenstellingen zorgden ervoor dat het martelaarschap niet verdween. In de wereld van het triomferende christendom werden onderlinge conflicten zichtbaar, tussen orthodoxen en ketters. Controverses over leerstellingen, schisma's en verstoorde bisschopsbenoemingen leidden tot fricties en vervolgingen. Keizers en bisschoppen sleepten degenen die zij ervan verdachten met hun interpretatie van de leer van de Kerk de eenheid van de gelovigen in gevaar te brengen voor speciale onderzoekscommissies. De ketters op hun beurt waren even fanatiek in hun verzet tegen de overheid, die zich naar hun oordeel nog erger misdroeg dan de Romeinse gezagsdragers destijds. Zij voelden zich verwant aan de martelaren onder Diocletianus, lazen de verhalen over hun gewelddadig beëindigde levens en wilden hen navolgen. Hun martelaarschap behelsde niet meer het passieve lijden onder beulshanden, het was een actieve strijd geworden tegen de demonen die schuilgingen achter de valse vervolgers. Als de gelegenheid om martelaar te worden zich niet spontaan voordeed, zochten ze die op door hun vervolgers uit te dagen. Hun strijd kreeg door dit religieuze extremisme, dat in een aantal gevallen uitliep op zelfmoordacties, een extra dimensie. Zelf rechtvaardigden ze hun acties om kerken en openbare gebouwen aan te vallen door te wijzen op de verderfelijkheid van het door de overheid gevoerde beleid.

Het fanatisme van sommige ketterse en orthodoxe christenen om de hoogste vorm van martelaarschap te bereiken, werd zichtbaar onder keizer Julianus (360-363), die christelijk was opgevoed, maar het geloof al op jonge leeftijd had afgezworen. Zijn regering is het laatste heidense hoofdstuk in een tijd waarin het christendom steeds dominanter werd. De christenen waren bang voor wraak, omdat ze wisten dat heidenen in het verleden hard waren aangepakt. Ze drongen hun onderlinge controverses naar de achtergrond, omdat ze pal moesten staan tegen Julianus, die een laatste poging deed de Romeinse goden terug te brengen in het centrum van de macht. Ze gingen ervan uit dat de keizer vervolgingen zou afkondigen, maar tegen hun verwachting in hield Julianus zich daar verre van. Hij maakte er geen geheim van dat hij de christenen wilde uitschakelen, maar niet op de manier van de vervolgers van de derde eeuw. In plaats daarvan paste hij vooral economische sancties toe en confisqueerde hij christelijke bezittingen.

Voor een aantal christenen was het een grote teleurstelling dat de afvallige keizer afzag van klopjachten, omdat het hun de kans ontnam de martelaarsstatus van de slachtoffers van de grote vervolgingen in de derde eeuw te bereiken. Om toch 'soldaten van Christus' te worden zochten ze de confrontatie op, niet door zich vrijwillig voor een gerechtelijk onderzoek bij de gouverneurs te melden, maar door Romeinse tempels aan te vallen en godenbeelden van hun sokkels te trekken en daardoor alsnog te worden gearresteerd. De historicus Socrates (vijfde eeuw) vertelt in zijn *Kerkgeschiedenis* een verhaal van enkele fanatieke christenen die het onverdraaglijk vonden dat een oude Romeinse tempel in Phrygië werd ontdaan van het stof van jaren. Ze gingen tot actie over en vernietigden in een nachtelijke overval alle beelden in de tempel. Toen ze na hun arrestatie weigerden spijt te betuigen over hun daad en niet aan de Romeinse goden wilden offeren, werden ze aan gruwelijke folteringen onderworpen tot de dood intrad.

De actie van deze martelaren werd gevolgd door vele andere. Ze laten zien dat radicale christenen geen afwachtende houding meer aannamen, maar nog voordat de overheid iets tegen hen ondernam tot gewelddadige acties overgingen. Julianus' terughoudendheid veranderde daar niets aan. Naar het oordeel van de christelijke zeloten verdiende alles wat de keizer deed een vastberaden tegenactie. Zij hoopten met hun gedrag een krachtige reactie uit te lokken, waardoor hun verlangen om het koninkrijk van Christus te betreden sneller in vervulling zou gaan.

Julianus' voortijdige dood verhinderde dat zijn religieuze hervormingen een succes konden worden. Zijn opvolger draaide zijn maatregelen weer terug, maar de radicalisering van de geloofsijveraars nam niet af. Oude geloofstwisten tussen christenen onderling staken de kop weer op. De onverzoenlijkheid tussen de volgelingen van de verschillende geloofsrichtingen werd groter en groter. Orthodoxen en ketters beschuldigden elkaar ervan dat ze zich buiten het echte christendom plaatsten. Beide partijen beschouwden hun geloofsgenoten die in de onderlinge strijd hun leven hadden geofferd als martelaren voor de goede zaak. De christelijke overheid werd bovendien geconfronteerd met radicalen in de eigen gelederen die de heiligdommen van heidenen en Joden aanvielen, en met het even onverzoenlijke antwoord daarop van de niet-christenen, die geweld evenmin schuwden. In steden waar de meerderheid van de bevolking nog niet gekerstend was, kwam het herhaaldelijk voor dat heidense volksmenigten de christenen te lijf wilden gaan en dat gedreven gelovigen hard terugsloegen.

In de volgende jaren kregen de ijveraars voor de martelaarskroon steeds meer aanhangers. Ze keerden zich tegen alles wat aan de oude Romeinse religie herinnerde. De Bibliotheek van Alexandrië en de tempel van Serapis in diezelfde stad werden in de as gelegd, zonder dat de christelijke keizer Theodosius de brandstichters tot de orde riep. In het begin van de vijfde eeuw leek het erop dat waanzin bezit had genomen van de voorvechters van een radicaal christendom. Vooral monniken legden een onverzoenlijke houding aan de dag. Ooit hadden ze zich teruggetrokken in woestijnen en in onherbergzame oorden, voor een leven in kuisheid en armoede. Sommigen van hen vonden nu dat de beproevingen die ze zichzelf in eenzaamheid oplegden niet snel genoeg de poorten naar de hemel openden. Bezield van een verlangen naar het martelaarschap kwamen ze naar de steden om hun fundamentalistische, onverzoenlijke geloofswaarheden uit te dragen. Iedereen die ze ervan verdachten de christelijke beginselen niet genoeg te zijn toegedaan, kon rekenen op een gewelddadige aanval van deze vaak in het zwart geklede strijders. Een mooi voorbeeld van zo'n radicale monnik is Rabbula. Samen met een geestverwant viel hij de grote tempel van Baalbek (Libanon) aan, trok daar de godenbeelden omver en hield er huis, wachtend op het moment waarop de heidenen hen zouden doden. De mensen uit de omgeving sloegen de twee monniken inderdaad in elkaar, maar, zo staat in het door een anonieme leerling geschreven *Leven van Rabbula*, ze overleefden het geweld omdat God andere plannen met hen had. Beiden brachten het later tot bisschop.

Hun voorbeeld vond navolging. In verscheidene steden ontstonden knokploegen van radicale christenen die tekeergingen tegen alles wat hen niet aanstond. Het verst ging Cyrillus, vanaf 412 bisschop van Alexandrië. Hij omringde zich met zeer fanatieke monniken, die zichzelf *parabalani* noemden, een term die verwijst naar hun pogingen om op alle mogelijke manieren en desnoods ten koste van hun leven hun geloofsopvattingen uit te dragen. Cyrillus' kruistocht tegen intellectuelen ging zo ver dat iedereen die ervan verdacht werd ideeën uit de Grieks-Romeinse wijsbegeerte of theologie te onderschrijven zijn leven niet zeker was. Hypatia is het bekendste slachtoffer van die zuiveringsdrift. Zij was een vermaard filosofe en wiskundige, een excentrieke vrouw die schoonheid paarde aan intelligentie en niet terugschrok voor gewaagde uitspraken. Toen zij op een dag onderweg was naar haar studenten werd zij door de aanhangers van Cyrillus uit haar wagen getrokken, met scherpe oesterschelpen bewerkt en gedood.

Met het optreden van Cyrillus en zijn volgelingen zijn we terug bij de moslim-martelaren van vandaag de dag. Zij staan eveneens in een lange traditie. Ooit betekende het Arabische woord *shahîd*, net als het Grieks-Latijnse martyr, vooral 'getuige van', ook in passieve zin. Anderen, vooral God en zijn engelen, moesten getuige kunnen zijn van de daden van de betrokkene. Maar net als in christelijke kring kreeg het moslim-martelaarschap in de loop der eeuwen een andere lading. De vroegste christelijke martelaren, die niet om folteringen hadden gevraagd, werden martelaren omdat zij getuigden van hun geloof. Bij de moslims was het in het begin niet anders. Zij waren zelfs bereid de titel *shahîd* te geven aan vrome reizigers die tijdens hun pelgrimage naar Mekka onderweg waren gestorven. Maar ook bij hen heeft het noodgedwongen martelaarschap geleidelijk plaatsgemaakt voor een vrijwillig gekozen opoffering. De terroristen die zichzelf en anderen in hun strijd tegen andersdenkenden, afvalligen en ketters overal ter wereld de dood in jagen zijn voor radicale moslims martelaren voor de goede zaak geworden. Ze geloven dat hun het paradijs wacht, waar ze door maagden zullen worden verwelkomd. De christenen hebben er eeuwen over gedaan voordat ze het gedrag van radicale martelaren openlijk ter discussie stelden. De moslims zijn nu aan zet.

De kardinaal, de kerkvader en fanatieke supporters

De kranten brachten het op maandag 8 april 2004 als groot nieuws: kardinaal Simonis bezoekt de wedstrijd FC Utrecht-ADO Den Haag. Hij trof het en zag een spannende wedstrijd met acht doelpunten, vijf voor de thuisclub en drie voor de bezoekers. Volgens de beide trainers, Foeke Booy van de ploeg uit de bisschopsstad en Lex Schoenmaker van de club uit de residentie, was de uitslag mede tot stand gekomen door de zegen van de kardinaal in de kleedkamer van FC Utrecht. Van Booy mocht de kardinaal voortaan bij iedere thuiswedstrijd in een skybox plaatsnemen, Schoenmaker keek bedenkelijk bij deze suggestie. 'We stonden na zijn zegen al met 1-0 achter,' was zijn gevatte commentaar.

Gaf de aanwezigheid van de kardinaal al aanleiding tot allerlei speculaties, zijn commentaar na afloop van de wedstrijd was nog interessanter. Simonis maakte namelijk een vergelijking tussen voetbal en religie. Het baarde hem zorgen dat de kerken leeglopen, maar op de tribunes ontwaarde hij potentiële gelovigen. Ze moeten natuurlijk wel goede manieren krijgen, mogen niet meer 'joden' of 'kankerlijers' roepen, geen stoeltjes uit de tribunes trekken of stenen gooien, maar voor de rest zijn ze van harte welkom in de schoot van de katholieke kerk. Want supporters en gelovigen, aldus Simonis, hebben emotie en trouw met elkaar gemeen.

Of Simonis spontaan tot zijn analyse is gekomen weet ik niet, maar het zou mij niet verbazen als hij vóór zijn bezoek aan de Galgenwaard gelezen heeft in de preken van de kerkvader Augustinus, die enkele malen gewag maakt van fanatieke supporters en van hun hoog oplopende emoties. Uit eigen ervaring wist Augustinus dat er maar weinig voor nodig is om mensen tot blind fanatisme voor opwindend volksvermaak te brengen. Een van zijn leerlingen, Alypius, had zich op zekere dag door medestudenten laten overreden om mee te gaan naar het Colosseum, waar spannende gladiatorengevechten werden gehouden. Hij had zijn vrienden verteld dat de hectiek van de arena geen vat op hem zou krijgen en dat hij zijn emoties zou beheersen. Hij zou zijn ogen sluiten en zich blind houden voor alles wat er in de arena gebeurde. Maar eenmaal binnen de muren van het grote amfitheater hoorde hij het lawaai dat opsteeg van de tribunes, opende zijn ogen en was verkocht. Hij raasde en tierde, ging als een bezetene tekeer en was gewonnen voor dit volksvermaak.

Hoe hoog de emoties in het Colosseum ook konden oplopen, ze waren nog gering vergeleken bij wat de wagenrennen in het Circus Maximus bij het volk losmaakten. Je kunt het je nu bijna niet meer voorstellen, want van het monumentale bouwwerk met een renbaan van 590 meter en een toeschouwerscapaciteit van minstens 150 000 mensen is niets meer over. Alles is ontmanteld door de tijd, door aardbevingen, en vooral door de bouwwoede van de pausen, die veel fraais uit dit stadion een plaats hebben gegeven in hun kerken en basilieken. Dat is jammer, want als we de beschrijvingen van antieke auteurs lezen moet het Circus Maximus een imposant bouwsel zijn geweest. Kosten noch moeite waren gespaard om iedere bezoeker ervan te overtuigen dat hier veertig tot vijftig dagen per jaar het grootste sportevenement van Rome werd georganiseerd, met telkens vierentwintig races voor twee-, drie- en vierspannen. Het waren echte spektakelshows. Iedere race gebeurde er wel iets onverwachts: een snelle ontsnapping, een inhaalrace, combines, crashes en bijna altijd een bloedstollende ontknoping. Van start tot finish waren de menners in hun kleine, lichte wagens gevangen in een betoverend spel van spanning, zelfbeheersing en emotie, dat van hen het uiterste vroeg. Ze sneden

Reliëf met een vierspan dat de drie keerzuilen nadert.
(British Museum, Londen)

elkaar de pas af, waaierden uit over de volle breedte van de baan en reden doelbewust op anderen in. Zeven ronden lang keek het publiek ademloos toe hoe de strijd ten slotte in het voordeel van een van de kemphanen werd beslist.

De supporters beleefden de rennen intenser dan de toeschouwers bij de gladiatorengevechten. De laatsten keken naar gevechten van individuen die door gladiatorenbazen aan elkaar waren gekoppeld, terwijl de fans van de wagenrennen zich de longen uit hun lijf schreeuwden voor rijders in dienst van een van de vier renstallen in Rome: de Blauwen, de Groenen, de Witten en de Roden. Bijna alle Romeinen die de renbaan bezochten, niet alleen mensen uit het volk maar ook senatoren, kwamen er openlijk voor uit dat ze supporter waren van een van de renstallen. Zelfs keizers maakten er geen geheim van naar welke renstal hun sympathie uitging en nodigden zelfs vooraanstaande menners bij zich aan tafel. Tijdens de rennen liepen de emoties op de tribunes hoog op. Precies zoals vandaag de dag voetbalsupporters van de ene club de aanhang van de tegenpartij verbaal of lichamelijk te lijf gaan, zo gingen ook de supportersgroepen in het Circus Maximus, gekleed in de kleuren van hun renstal, geregeld door het lint. Herhaaldelijk moest de ordepolitie uitrukken om de rust te herstellen.

Sommige fans verloren de realiteit volledig uit het oog en probeerden met magische praktijken de races te beïnvloeden. Dat ze steun zochten bij de goden en tot hen baden om hun helden in de strijd bij te staan, is, achteraf, in het licht van gelijksoortige taferelen in zuidelijke landen waar rooms-katholieke priesters de schoenen van voetballers of de fietsen van wielrenners zegenen niet zo vreemd. Curieuzer is dat ze op vervloekingstabletten de namen van de menners en de paarden van andere renstallen schreven, vergezeld van de smeekbede aan de goden en demonen van de onderwereld om die in het verderf te storten. Een in Carthago gevonden tekst laat zien hoe ver de verdwazing reikte:

> Ik roep u aan, geest van een ontijdig gestorvene, wie u ook bent. Ik roep u aan bij uw almachtige namen SALBATHBAL AUTHGEROTABAL BASUTHATEO ALEO SAMABETHOR Bind de paarden vast wier namen en beeltenissen ik u hierbij toevertrouw. Van het team van de Roden: Silvanus, Sevator, Lues, Zephyrus, Blandus, Imbraius, Dives, Mariscus, Rapidus, Oriens, Arbustus; van de Blauwen: Imminens, Dignus, Linon, Paezon, Chrysaspis, Argutus, Diresor, Frugiferus, Euphrates, Sanctus, Aethiops en Praeclarus. Beperk hun loopvermogen, hun kracht, hun ziel, hun versnelling, hun snelheid. Neem ze de overwinning af, verstrik hun voeten, hinder ze, zodat ze morgenochtend in het Hippodroom niet in staat zijn te rennen of zelfs maar langzaam te lopen, naar de startboxen te gaan of op de renbaan vooruit te komen. Mogen ze neervallen met hun menners, Euprepes, zoon van Telesphorus, en Gentius en Dionysius de Bijter, en

Lamurus. Bind hun handen vast, neem ze de overwinning af, laat ze niet finishen, ontneem hun het zicht, zodat ze hun rivalen niet kunnen zien. Pak ze beet, til ze uit hun wagens, trek ze naar de grond, zodat ze neervallen en over de hele renbaan worden meegesleurd, vooral langs de keerzuilen, en zwaar letsel oplopen, zowel zijzelf als hun paarden. Doe het nu, snel.

Dit soort vervloekingen hoorde bij het spel tussen de supportersgroepen die, gekleed in shirts in de kleuren van hun renstal, dagelijks door de straten paradeerden. Ze zochten elkaar op, daagden elkaar uit, scholden en tierden en schuwden ook geweld niet. Het paste allemaal in het beeld van supporters die zich onvoorwaardelijk achter hun helden schaarden. Sommigen gingen heel ver in hun liefde voor een favoriete menner, een enkeling schrok zelfs niet terug voor de dood. Eén fan raakte tijdens de begrafenis van Felix, de kopman van de Roden, volledig buiten zinnen. De topmenner, met vele overwinningen op zijn naam, was tijdens een race verongelukt en werd onder grote belangstelling van zijn supporters gecremeerd. Op het moment dat zijn lichaam op de brandstapel werd gelegd, wierp de fan, overmand door een onpeilbaar verdriet, zich in de vlammen naast zijn overleden idool.

Veel aristocraten keken met afgrijzen naar het fanatieke gedrag van de supporters en lieten in woord en geschrift blijken dat ze de wagenrennen maar een vulgair tijdverdrijf vonden. De geschiedschrijver Tacitus huldigde de opvatting dat mensen uit de betere kringen hogere doelen moesten nastreven en zich niet moesten inlaten met wagenrennen, want die leidden alleen maar af van de schone kunsten waar het werkelijk om ging: literatuur en filosofie. Hoe, zo vroeg hij zich af, kunnen wagenmenners, infame personen, vaak slaven of vrijgelatenen, de mensen iets leren wat van waarde is? Plinius de Jongere ging nog verder in zijn minachting voor de wagenrennen, en hij hekelde daarbij vooral de liefde van de supporters voor de clubkleuren. Uit zijn woorden spreekt louter onbegrip. Het was voor hem een raadsel dat ze zich zo hartstochtelijk vastklampten aan die clubkleuren, want als een door hen aanbeden menner halverwege de race voor een andere kleur zou gaan rijden, zouden de supporters onmiddellijk hun steun intrekken. Ze zouden de menners en de paarden die ze nu zo enthousiast toejuichen uitschelden en in vervloekingstabletten het ergste toewensen.

Plinius kon geen begrip opbrengen voor de emoties van de supporters, hij wilde niet zien hoe de fans op de tribunes verdrietig waren en pijn leden als een van hun favorieten werd verslagen. Hij kon zich niet indenken hoe ze zich hechtten aan de menners van hun renstal. Voor hem vertegenwoordigden de supporters alles wat mijlenver afstond van datgene wat de aristocraten wenselijk achtten. Hij zal de enige niet zijn geweest die er zo over dacht. Opvallend genoeg toonde de kerkvader Augustinus driehonderd jaar later wél begrip voor de gedragingen van de fans. Niet dat hij te boek staat als een liefhebber van de wagenrennen, verre van dat, maar zijn opmerkingen verraden dat hij heel goed begreep door welke emoties de supporters zich lieten leiden. Hij spreekt erover in zijn preek *De dilectione dei et proximi* ('Over de liefde voor God en voor de naaste'). Hoewel hij de liefde van supporters voor wagenmenners als vals betitelt, kan hij waardering opbrengen voor het fanatisme waarmee zij hun helden onder alle omstandigheden steunen. Veel christenen konden daar een voorbeeld aan nemen. De onvoorwaardelijke liefde van de fans getuigde van een trouw, die een inspiratiebron kon zijn voor zijn christelijke broeders en zusters. Zoals de heidense fans volledig opgingen in hun liefde voor wagenmenners en, alles vergetend, niet meer wisten wie en waar ze waren, zo moesten de gelovigen alles van zich afzetten en zich totaal verlaten op de ene ware God.

Augustinus signaleerde een overeenkomst tussen de liefde van de supporters voor hun renstal en de onvoorwaardelijke trouw van de gelovigen aan de Kerk, maar verder beschouwde hij de fans van de wagenrennen en de christenen toch vooral als de twee gescheiden groeperingen die ze waren. Kardinaal Simonis ging een stap verder en noemde in de Galgenwaard de voetbalsupporters potentiële kerkgangers. Dat ze consequent zijn in hun aanhankelijkheid en liefde voor hun club hebben ze in het verleden genoegzaam bewezen, zo stelde hij, het is nu zaak die liefde voor de afgod van het voetbal om te zetten in liefde voor de ware God. Met zijn opmerkingen heeft de kardinaal de eerste stap gezet. Het wachten is nu op een herderlijk schrijven aan alle voetbalsupporters om hun trouw in dienst te stellen van God.

De les van Jugurtha

Toen Saddam Hussein de macht in Irak nog vast in handen had, bekeek de internationale gemeenschap de situatie met argusogen. Saddam was een onberekenbare tegenstander die een grote zelfverzekerdheid uitstraalde en spotte met alle ultimatums die men hem stelde en dreigementen die tegen hem werden geuit. Hij ging zijn eigen gang, al sloot het net zich steeds meer rond hem en kwamen er steeds meer berichten naar buiten dat de tiran zijn leven niet zeker was. De vijand loerde overal, zelfs in zijn eigen paleis. Het schijnt dat hij de laatste jaren van zijn regering zo in de ban was van zijn angst voor de dood dat hij praktisch iedere nacht ergens anders sliep, bang van zijn bed te worden gelicht of onder de lakens een gewelddadige dood te sterven. Het was een onaangename en onbekende situatie voor de man die ooit een groot charisma had en door het Westen werd gesteund in zijn strijd tegen Iran. Uiteindelijk werd hij door de Amerikanen met geweld van zijn voetstuk gestoten en kwam hij door de strop om het leven. Maar de uitkomst was anders dan gehoopt. Zijn land werd ondergedompeld in een burgeroorlog, waarvan het einde nog niet in zicht is.

De Amerikanen wordt vaak verweten dat ze zich voorafgaand aan hun invasie niet goed hebben ingeleefd in de complexe verhoudingen binnen Irak. Bush en de zijnen dachten dat ze voldoende op de hoogte waren van de etnische tegenstellingen, de rivaliteit tussen shiieten en soennieten en de macht van de krijgsheren, maar het tegendeel was waar. De talrijke doden die iedere dag in de straten van Bagdad of Mosul door zelfmoordaanslagen vallen, vormen het navrante bewijs dat met de inval in Irak en de uitschakeling van Saddam spanningen zijn blootgelegd, niet alleen in het land van de voormalige dictator, maar ook binnen de internationale gemeenschap. Misschien was het geen slecht idee geweest als de voorstanders van de inval in Irak, voordat ze tot actie overgingen, eerst *De oorlog tegen Jugurtha* hadden gelezen, het relaas van de historicus Sallustius over de moeizame strijd van de Romeinen tegen de Numidische koning. Dan hadden ze geleerd dat niet iedere oorlog dezelfde is, en dat er zeker in een oorlog tegen een arrogante, zelfbewuste tegenstander die geen middel schuwt om zijn doel te bereiken, onvoorziene krachten kunnen loskomen. De zeven jaren waarin Jugurtha het de Romeinen lastig maakte, waren een aaneenschakeling van leugen en bedrog, van omkoperij en hebzucht, van moord en verraad, waarin we soms parallellen zien met de geschiedenis zoals die zich in en om Irak heeft ontrold.

Numidië, westelijk gelegen van de Romeinse provincie Africa, dat in 146 v.Chr. na de verovering van Carthago aan de Romeinen schatplichtig was geworden, was een cliëntstaat van Rome. Koning Micipsa onderhield goede betrekkingen met de Romeinse senaat. De problemen begonnen toen hij in 118 v.Chr. op zijn sterfbed zijn rijk verdeelde onder zijn beide zoons Hiempsal en Adherbal én zijn neef Jugurtha, die hij na de dood van diens vader als een zoon in zijn huis had opgenomen. Het plan was op voorhand tot mislukken gedoemd, omdat Jugurtha niet alleen ouder was dan zijn beide neven, maar ook anders in elkaar zat. De zoons van Micipsa waren bescheiden, ingetogen en met hun beschouwelijke instelling goed toegerust voor een gezamenlijk bestuur, terwijl de dominante Jugurtha, een voortreffelijk militair en een charismatische leiderfiguur, vanaf het begin zijn zinnen had gezet op de alleenheerschappij. Met zijn natuurlijke charme verwierf hij een grote aanhang onder de Numidische bevolking. Zijn beide jonge neven waren geen partij voor hem. Hiempsal viel hem al snel in handen en bracht het er niet levend vanaf, Adherbal wist het vege lijf slechts te redden door zijn heil te zoeken bij de Romeinen en hen te betrekken in een langdurig conflict dat de zwakke plekken van de Romeinse maatschappij pijnlijk zou blootleggen.

Tot de verwoesting van Carthago in 146 v.Chr. hadden de Romeinen steeds één lijn getrokken. De vrees voor de gehate vijand had senaat en volk van Rome lange tijd verenigd, maar nu die grote rivaal was weggevallen traden tegengestelde belangen aan de dag. De leden van de senatoriale elite namen het niet meer zo nauw met de traditionele mores en hadden vooral oog voor hun eigen politieke en economische belangen. In de woorden van Sallustius (*De oorlog tegen Jugurtha* 41, 7-10) klinkt het aldus:

> Slechts een kleine groep besliste over alle militaire en binnenlandse zaken. Diezelfde mensen beschikten over de schatkist, de provincies en de magistraatschappen, over roem en triomftochten. Het volk ging gebukt onder krijgsdienst en armoede. De oorlogsbuit werd geheel weggekaapt door de generaals en een kleine groep anderen. Intussen werden ouders of kleine kinderen van soldaten, als zij toevallig naast machtige heren woonden, verdreven van hun terrein. Tegelijk met de macht deed aldus een ongeremde, mateloze inhaligheid haar intrede; alles werd erdoor bezoedeld en verwoest, voor niets had zij achting of ontzag, totdat zij uiteindelijk zichzelf te gronde richtte. Want toen onder de adel eenmaal mensen opstonden die ware roem stelden boven onrechtvaardige macht, raakte de staat in beroering: burgertwist kwam opzetten als een aardverschuiving.
> (vertaling Vincent Hunink)

De spanningen in de Romeinse samenleving hebben er volgens Sallustius sterk toe bijgedragen dat het conflict met Jugurtha een ander verloop kreeg dan op grond van de militaire prestaties van de Romeinen in het verleden verwacht mocht worden. Het lag voor de hand dat de Romeinse senaat in het conflict tussen de beide troonpretendenten ondubbelzinnig partij zou kiezen voor de verdreven Adherbal en alles in het werk zou stellen om Jugurtha tot de orde te roepen. Een groot aantal politici bleek echter vatbaar voor corruptie, en die ondeugd werd door Jugurtha meesterlijk uitgebuit. Wat de naar Rome uitgeweken Adherbal ook aan argumenten tegen zijn rivaal naar voren bracht, het mocht allemaal niet baten. Bij de tweedeling van het rijk kreeg Jugurtha het vruchtbaarste deel van Numidië, maar dat was hem niet genoeg; zijn ambities reikten verder, naar het bestuur van het hele koninkrijk. Hij ging de oorlog aan met Adherbal, die zich in de stad Cirta had verschanst, maar niet opgewassen was tegen een lange belegering. Op voorwaarde dat zijn leven zou worden gespaard, gaf hij zich ten slotte over. Voor Jugurtha telden afspraken echter niet. Op zijn bevel werd Adherbal gefolterd en omgebracht. Toen ook een aantal in de stad woonachtige kooplieden uit Italië werd gedood, leek de maat voor de Romeinen vol. Ze stuurden een leger naar Numidië om met Jugurtha af te rekenen. Maar de commandanten van de legers die tegen hem werden uitgezonden, bleken niet bestand tegen de steekpenningen waarmee de koning hen bewerkte.

Het Romeinse volk begon zich nu met de kwestie te bemoeien en eiste dat Jugurtha in Rome verantwoording voor zijn daden zou afleggen en de namen zou noemen van de Romeinse ambtsdragers van wie hij steun had ontvangen. De Numidische vorst kreeg een vrijgeleide en kwam naar Rome. Zelfs hier, in het hol van de leeuw, was hij de situatie meester. Hij kocht een volkstribuun om en wist zo te bereiken dat hij zich niet in het openbaar hoefde te verdedigen. Zijn brutaliteit ging nog verder. In Italië verbleef op dat moment ook een neef van hem, Massiva, die door velen, Romeinen en Numidiërs, werd gezien als een voortreffelijk alternatief voor de onberekenbare

Jugurtha. Zeker door de Romeinen, die dachten via hem stabiliteit in de regio te kunnen brengen. Maar nog voordat Massiva echt actief kon worden, werd hij door een handlanger van Jugurtha uit de weg geruimd. De moordenaar werd door kompanen van Jugurtha stilletjes Italië uit gesmokkeld. Iedere hoop op een redelijk compromis was nu de bodem ingeslagen. Van de senaat kreeg Jugurtha het bevel Rome te verlaten. Eenmaal buiten de stad zou hij volgens Sallustius (*De oorlog tegen Jugurtha* 35,10) de woorden hebben gesproken: 'Stad te koop, klaar voor de ondergang! Alleen nog een koper!'

Intussen sleepte het conflict zich voort. In feite stonden de Romeinen voor een onmogelijke opgave, want Numidië was nog onafhankelijk, het was een cliëntstaat van Rome, geen provincie. Een deel van de senaat koos voor een diplomatieke oplossing, anderen wensten een voortzetting van het militaire ingrijpen om definitief een einde te maken aan de streken van Jugurtha. De haviken wonnen en de oorlogsinspanningen werden opgevoerd. Maar de acties die bevelhebber Aulus Postumius Albinus in Numidië ondernam haalden niets uit. Albinus was de verpersoonlijking van de nieuwe tijdgeest en zijn zucht naar rijkdom maakte hem kwetsbaar. Omdat ook zijn soldaten corrupt waren, kon Jugurtha zijn spelletje spelen en Romeinse officieren en soldaten met steekpenningen bewerken. Een nachtelijke overval op Albinus' kamp werd gevolgd door een plundering. De volgende dag had Jugurtha een ontmoeting met Albinus en toonde zich met zijn harde, voor de Romeinen zeer vernederende voorwaarden onverbiddelijk: ze moesten onder een juk van Numidische speren door en vervolgens binnen tien dagen Numidië verlaten. Het alternatief was een wisse dood. De Romeinen gingen akkoord.

Het bericht van het smadelijke verdrag sloeg in Rome in als een bom. Consul Spurius Albinus, de broer van de verslagen generaal, probeerde te redden wat er te redden viel. Binnen een paar dagen vertrok hij naar Africa om met het daar aanwezige leger de strijd tegen Jugurtha te hervatten, maar toen hij zag hoezeer het moreel van de soldaten was verzwakt, hoe losbandigheid en uitspattingen hun tol hadden geëist, moest hij van krijgshandelingen afzien. Zijn expeditie liep uit op een mislukking. Te lang hadden de soldaten zich aan de discipline onttrokken en in hun omzwervingen akkers verwoest. Ze hadden het buitgemaakte vee en de oogsten verkocht aan handelaren of geruild voor kruiken wijn en luxeartikelen. Het leek uitgesloten dat de Romeinen met dit gedegenereerde leger Jugurtha zouden kunnen uitschakelen.

Toch waren er in Rome nog genoeg invloedrijke personen die openlijk bleven verkondigen dat de schande van de vernedering door een 'woestijnvorst' die in hun ogen weinig voorstelde gewroken moest worden. De ongelukkig verlopen gevechtshandelingen beschouwden zij als een pijnlijk incident, maar ook niet meer dan dat. Een van hen was Quintus Caecilius Metellus, de consul van het jaar 109 v.Chr. Direct al bij zijn aantreden liet hij zien dat de decadentie in het leger wel degelijk bestreden kon worden. Jugurtha kwam er al snel achter dat deze opperbevelhebber niet ontvankelijk was voor steekpenningen en aan officieren en soldaten die dat wel waren de zwaarste bestraffingen in het vooruitzicht stelde. De strijd kreeg een ander karakter. Niet de Numidiërs maar de Romeinen hadden nu de regie in handen. De kansen keerden. Wat Jugurtha ook probeerde, hij werd langzaam in het defensief gedrongen. Zijn persoonlijke dapperheid en de moed van zijn soldaten wogen niet op tegen de kracht van de vers aangevoerde Romeinse legioenen, die weer de oude Romeinse gevechtsmentaliteit uitstraalden.

Stukje bij beetje boekte Metellus vooruitgang. Jugurtha moest steeds meer terrein prijsgeven en verloor zijn burchten Sicca, Zama, Regia en Vaga, maar hij wist wel uit handen van de Romeinen te blijven. Zo liep het tweejarige commando van Metellus in Numidië af zonder de zo vurig verlangde ontknoping. De beëindiging van de oorlog met een schitterende overwinning en een triomftocht in Rome, waarin de gevangen Jugurtha aan het volk kon worden getoond, waren niet voor hem weggelegd. Zijn teleurstelling werd nog groter toen zijn adjudant Gaius Marius, die onder zijn gezag had getoond over uitstekende leiderskwaliteiten te beschikken, zich in de strijd voor het consulaat van 107 v.Chr. mengde. Marius was een ridder (*eques*), dat wil zeggen dat hij behoorde tot dat deel van de elite waarvoor het bekleden van ambten en het zitting hebben in de senaat niet de regel was, zodat hij naar het oordeel van Metellus niet voor de hoogste positie in aanmerking kwam. Die opstelling maakte Marius razend. Zijn verkiezingscampagne kreeg een grimmig karakter.

Eenmaal consul geworden nam hij snel het commando van Metellus over. Zijn optreden was glansrijk: hij nam enkele steden in en wist Jugurtha steeds verder te isoleren. Pogingen om hem door verraad in handen te krijgen hadden geen resultaat: een samenzwering mislukte. Maar de angst zat er bij de Numidische koning goed in, zoals Sallustius (*De oorlog tegen Jugurtha* 72,2) treffend beschrijft:

> Sindsdien had Jugurtha dag en nacht geen rust meer. Geen plaats, geen mens, geen moment vertrouwde hij nog. Zijn eigen burgers duchtte hij evenzeer als de vijand. Steeds keek hij rond, schrok bij het minste geluid. 's Nachts rustte hij nu hier, dan daar, dikwijls in strijd met zijn koninklijke waardigheid. Soms schrok hij dan wakker en greep met veel misbaar naar zijn wapens. Zo was hij buiten zichzelf van angst, gelijk een waanzinnige.

Toch was Jugurtha's rol nog niet helemaal uitgespeeld. Met steun van zijn schoonvader Bocchus, de koning van Mauretanië, hoopte hij het verloren terrein terug te winnen en de Romeinen te verdrijven. Maar het liep anders. De Romeinen versloegen hem en Jugurtha nam de wijk naar Mauretanië. Daar werd de man die met omkopingen en listen zolang overeind was gebleven door bedrog van zijn schoonvader, die hem asiel had toegezegd, aan de Romeinen uitgeleverd. Hij werd overgedragen aan Marius en op transport gezet naar Rome. Na een kort verhoor werd hij opgesloten in de staatsgevangenis, het Tullianum. Deze kerker, direct aan de voet van het Capitool, was in het verleden wel vaker de laatste verblijfplaats van staatsvijanden geweest. In de kleine, met grote steenblokken ommuurde ruimte, diep onder de grond, zonder openingen waar enig licht doorheen komt, wachtten zij op het onvermijdelijke: hun executie. Voordat Jugurtha moest sterven, werd hij in de triomftocht van Marius aan het Romeinse volk getoond, als een voorbeeld aan anderen om het niet te wagen de strijd aan te binden met Rome. Door de massaal toegestroomde mensenmassa werd hij beschimpt, uitgescholden en met hoon overladen. Toen de processie de tempel van Jupiter op het Capitool bereikte, waar Marius zijn eer zou opdragen aan de hoogste god, werd Jugurtha uit de stoet gehaald en teruggebracht naar het Tullianum. Daar wachtte de beul om zijn doodvonnis te voltrekken. Over Jugurtha's levenseinde doen twee verhalen de ronde. Volgens Livius (*Epitome* 67) werd hij gewurgd, maar Plutarchus (*Leven van Marius* 12) weet te vertellen dat Jugurtha zijn beul voor was door in het ijskoude water van een onderaardse poel te springen, waarbij hij zou hebben uitgeroepen: 'Bij Hercules, wat zijn jullie baden koud!'

Met Jugurtha verdween een vijand van het toneel die het de Romeinen moeilijker had gemaakt dan ze op grond van de marginale positie van zijn rijk ooit gedacht zullen hebben. Opvallend is dat de Romeinen toen hij eenmaal uit de weg was geruimd niet zijn overgegaan tot de annexatie van Numidië. Ze stelden zich tevreden met een goede regeling, die enigszins doet denken aan de eerder voorgestelde verdeling van het rijk tussen Jugurtha en Adherbal. Het oostelijk deel van het koninkrijk bleef onder het gezag van de dynastie van Micipsa, de rest kwam in het bezit van koning Bocchus van Mauretanië. Heel lang bleef deze situatie bestaan. Klaarblijkelijk vonden de Romeinen dat van het verdeelde Numidië geen gevaar te duchten was en richtten ze hun aandacht liever op gebieden die meer gevaar uitstraalden. Het zou nog zestig jaar duren alvorens Caesar de Numidiërs strafte voor hun steun aan zijn politieke tegenstander Pompeius en hun land inrichtte als de provincie Africa Nova.

Onpeilbaar heimwee

Ik ben er haast zeker van dat de eerste Griekse zeevaarders die zich vanuit de Middellandse Zee door de Hellespont en de Bosporus in de Zwarte Zee waagden geregeld de rillingen over het lijf zijn gelopen. Het donkere water, het gure onbestendige klimaat, de harde windvlagen, de winterkou en de wilde, onbeschaafde mensen die de streken rond die zee bewoonden nodigden niet bepaald uit om erheen te gaan. Bovendien was de zee omgeven met een waas van geheimzinnigheid, die gewone zeelieden schrik aanjoeg. Er waren mythologische helden voor nodig om de Zwarte Zee voor de Grieken te ontsluiten, zoals we kunnen lezen in het prachtige relaas van Apollonius Rhodius (derde eeuw v.Chr.), die een heel dichtwerk wijdde aan de ontdekkingstocht van de Argonauten over de Zwarte Zee. Deze zeevaarders werden niet gedreven door handelsbelangen, ze hadden een andere, bijzondere missie. De leider van de expeditie, Jason, had van zijn oom Pelias, die zich wederrechtelijk meester had gemaakt van de troon van de Griekse stad Iolkos, de toezegging gekregen dat hij koning van zijn stad mocht worden als hij erin slaagde om het door een draak bewaakte gulden vlies uit Colchis aan de oostkust van de Zwarte Zee te bemachtigen en mee naar huis te nemen. Jason liet een speciaal schip bouwen, de Argo, trok beroemde Grieken, onder wie Heracles, als bemanning aan, trotseerde stromingen en winden, maakte zich meester van het gulden vlies en werd koning van de stad. Deze tocht vormt het begin van de Griekse infiltratie van de gebieden rond de Zwarte Zee.

In de achtste eeuw voeren heel wat Grieken naar die verre

Bronzen beeld van Ovidius in Constantza. Het origineel van het beeld, van Ettore Ferrari, staat sinds 1887 in Sulmona (het oude Sulmo), de geboorteplaats van Ovidius (Foto Jan Willem Bos)

kusten om er nieuwe steden te stichten. Weldra was een groot deel van de regio in handen van Grieken, die zich toelegden op de graanbouw en flink verdienden aan de export van graan naar hun moedersteden. Er waren aan die handel grote risico's verbonden, want de gevaarlijke stromingen in de Bosporus en de snel draaiende winden vormden voor de handelsvloten een permanent gevaar. De Zwarte Zee stond bekend als onheilspellend, anders dan de Middellandse Zee, en zeker niet uitnodigend. Zij raakte die reputatie pas laat kwijt. De namen die de Grieken aan de Zwarte Zee hebben gegeven zijn een afspiegeling van hun angst en respect ervoor. Vóór de grote kolonisatiegolf noemden ze de zee *axeinos*, 'ongastvrij'. Later, na de kolonisatiegolf, toen er een keten van Griekse kolonies op de kusten was ontstaan, wijzigden ze die naam in *euxeinos*, de gastvrije, alsof ze daarmee wilden zeggen dat de landen rond de Zwarte Zee zo veel te bieden hadden dat de gevaren op zee daarvoor gerust getrotseerd konden worden.

Een van die nieuwe steden was Tomi. Het was in de zevende eeuw v.Chr. gesticht door kolonisten uit Milete, die eropuit gestuurd waren om nieuwe woonplaatsen te vinden. Zij waren, komend vanaf de Bosporus, in noordwestelijke richting gevaren, tot ze uitkwamen bij de plaats waar nu de Roemeense badplaats Constantza ligt. Daar, op een schiereiland met een strand waar hun schepen aan land getrokken konden worden, bouwden zij een stad die na verloop van tijd de naam Tomi kreeg. Aan de landzijde moest een dikke muur de bewoners beschermen tegen de aanvallen van woeste stammen. Het was geen slechte keus om zuidelijk van de Donaudelta een nederzetting in te richten, want het achterland was vruchtbaar en het klimaat mild vergeleken bij dat van andere, noordelijker gelegen kuststreken rond de Zwarte Zee.

Tomi ontwikkelde zich tot een landbouwstadje, zoals er zoveel waren in die regio. Het zou vermoedelijk nooit echt bekendheid hebben gekregen als niet bijna zeven eeuwen na de stichting ervan een van Rome's meest vermaarde zonen er noodgedwongen de laatste jaren van zijn leven had doorgebracht: de dichter Publius Ovidius Naso. Met zijn geheel in hexameters geschreven *Metamorphoses*, zijn liefdesgedichten *Amores* en zijn liefdesleer *Ars Amatoria* had hij naam gemaakt in Rome en vele lezers aan zich gebonden. Hij werd alom gewaardeerd en was een graag geziene verschijning in literaire salons. In het jaar 8 n.Chr. (hij was toen rond de vijftig) had hij vermoedelijk nog nooit van Tomi gehoord, maar dat veranderde snel toen hem door keizer Augustus werd aangezegd Rome te verlaten en in dat stadje aan de Zwarte Zee in ballingschap te gaan.

Waarom Augustus de populaire Ovidius uit Rome verbande is nooit opgehelderd. In de geschriften van tijdgenoten wordt er niets over verteld, wellicht uit angst voor Augustus, die in het verleden wel vaker auteurs die mededelingen deden die hem niet welgevallig waren had laten censureren. Ovidius zelf vertelt niet meer dan dat zijn verbanning te maken had met een *carmen* (gedicht) en een *error* (misstap). Dat *carmen* was de *Ars Amatoria*, zijn leerdicht over de liefde. Vermoedelijk vond Augustus het werk te vrijpostig en meende hij dat het zijn pogingen belemmerde om oude morele waarden in Rome weer te herstellen. Vreemd is dan wel dat de veroordeling van Ovidius pas negen jaar na de publicatie ervan tot stand kwam. Het is ook niet uit te sluiten dat Ovidius' *Metamorphoses* bij Augustus niet in goede aarde viel, omdat Ovidius daarin betoogt dat alles tijdelijk en vergankelijk is. Wellicht doelde hij met die bewering speciaal op het principaat van Augustus, die juist propageerde dat met hem een nieuwe, hopelijk eeuwig durende, periode van vrede was aangebroken. Nog raadselachtiger is Ovidius' misstap. Aan speculaties heeft het niet ontbroken. Ovidius zou getuige zijn geweest van iets wat hij niet had mogen zien. Had hij de keizer betrapt tijdens een van diens amoureuze avonturen? Het zou kunnen, want in weerwil van zijn voorliefde voor de oud-Romeinse deugden en zijn propaganda voor het huwelijk was Augustus een man die geregeld in kortstondige liefdesaffaires verwikkeld was. Of was Ovidius op een of andere manier betrokken geweest bij de seksuele uitspattingen van Augustus' kleindochter Julia? Wat de redenen ervoor ook waren, de verbanning trof de gevierde dichter als een mokerslag. Hij moest Rome verlaten om de rest van zijn dagen te slijten in een in zijn ogen achterlijk gat in een provincie aan de rand van het Romeinse rijk.

Hoe Ovidius de laatste avond en nacht voor zijn vertrek heeft beleefd, vertelt hij in een zijn gedichten uit de *Tristia*, die hij schreef in zijn verbanningsoord. De wanhoop klinkt erin door. Ovidius' wereld is ingestort. De eerste regels (*Tristia* 1,3,1-4) zijn van een beklemmende droefheid:

Nu mij dat beeld bevangt, die droevigste der nachten,
De laatste die ik doorbracht in de stad,
Nu ik die nacht herleef, het afscheid van mijn schatten,
Wordt wederom mijn oog van tranen nat.
(vertaling: Wiebe Hogendoorn)

Ovidius verliet Rome in de winter. Zijn vertrek in een jaargetijde waarin er maar weinig scheepvaart was, geeft aan dat het Augustus ernst was met zijn besluit en dat hij geen uitstel gedoogde. En zo voer Ovidius op een koude dag over de Adriatische Zee naar Griekenland, ging in Corinthe over op een ander schip, vertoefde om ons onbekende redenen enige tijd in Thracië en bereikte in juni van het jaar 9 zijn ballingsoord Tomi. Aan de boorden van de Zwarte Zee begon hij aan zijn nieuwe leven, dat in niets leek op het bestaan dat hij tot dan toe had geleid. Uit de *Tristia* doemt het beeld op van een dichter die aan de Zwarte Zee nauwelijks momenten van vreugde of plezier heeft gekend. In zijn gedichten en in de brieven die hij geregeld naar zijn vrouw en vrienden in Rome stuurde laat hij doorschemeren dat het voor iemand uit het mondaine Rome nauwelijks te harden is in het boerse en onbeschaafde Tomi. In al zijn gedichten klinkt door dat hij maar niet kan begrijpen waarom hem dit harde lot heeft getroffen. Het is één lange klaagzang over een leven in een oord dat geteisterd wordt door een vreselijk klimaat (*Tristia* 3,4b,1-6):

Vlakbij de Grote Beer houdt mij een land gevangen
   Dat in de barre vrieswind krimpt en beeft.
Noordwaarts de Bosporus, de Don, het Scythisch drasland
   En plaatsen, schaars, waar niemand weet van heeft.
Daarbuiten zijn er niets dan lege vlakten;
   Wee hem die op de rand der aarde leeft.

De winter is hem een gruwel. De Donau bevriest, arctische sneeuw ligt hoog opgetast tegen de huizen en zelfs de zee verstijft tot ijs. Ovidius walgt niet alleen van het klimaat en het land, ook de mensen bevallen hem niet. De Bessen, Sarmaten en Geten zijn vreemden voor hem (*Tristia* 3,11,9-14):

Geen enkel taalcontact heb ik met deze wilden,
   Daar elke stap tot nieuwe angsten dwingt.
Zoals een hert, gepakt door felle beren, siddert
   Of als een lam, door bergwolven omringd,
Zo tril ik in paniek, door vijanden omsingeld,
   Krijgslustig volk, dat mij al haast bespringt.

In het gedicht 'Onder barbaren' (*Tristia* 5,10) laat hij zich vol zelfbeklag nog somberder uit over het leven in Tomi. Zelfs de kringloop van de seizoenen lijkt zich te richten naar de ellende van de gevallen dichter. Een mooie zomer blijft uit. Binnen en buiten de stad, overal loert het gevaar. De paar Grieken die in Tomi wonen vallen in het niet bij de overvloed aan wilden, gehuld in harige dierenvachten. Ieder contact is uit den boze, Ovidius voelt zich onbegrepen:

Zij converseren in de tongval die ze delen:
   Mij moet gebarentaal behulpzaam zijn.

Hier ben ik zelf een wilde, door geen mens begrepen;
De Geten lachen dom om mijn Latijn
En staan waar ik zelf bij ben rustig kwaad te spreken:
Ze zien misschien mijn straf als een schandaal.
Ze houden mij voor een krankzinnige, wanneer ik
Ja knik of nee schud op hun brabbeltaal.
Daarbij wordt recht (onrecht!) hier met het zwaard gewezen,
Zelfs midden op de markt is moord normaal.

Heel even, na de dood van keizer Augustus in 14 n.Chr., heeft het erop geleken dat Ovidius uit ballingschap zou worden teruggeroepen. Maar zijn hoop werd wreed de bodem ingeslagen toen de nieuwe keizer, Tiberius, zijn gratieverzoek afwees. Ovidius wist nu zeker dat hij in Tomi zou sterven. Nog drie jaar probeerde hij het heimwee van zich af te schrijven, maar de eenzaamheid sloopte hem. In 17 n.Chr. stierf hij als een gebroken man.

Ovidius' ballingschapspoëzie heeft veel bewondering geoogst. Zijn gedichten werden een inspiratiebron voor auteurs die een geliefde plek moesten verlaten. Wanneer Goethe bijvoorbeeld in 1788 na zijn Italiaanse reis terugkeert naar Duitsland overvalt hem een gevoel van heimwee en moet hij denken aan Ovidius' afscheid van Rome. Later hebben Russische ballingen Ovidius' droevige versregels overgenomen en opnieuw onder woorden gebracht. Maar er kwamen ook critici die zijn werk één lange jammerklacht vonden en zijn toonzetting te zwaar, te melodramatisch en te sterk aangezet. Zo ellendig kon zijn leven aan de Zwarte Zee toch niet zijn geweest. De Oekraïner Konstantin Paustovski begrijpt niets van Ovidius' verdriet. In *De tijd van de grote verwachtingen* schrijft hij in 1921:

Voor zijn dood beklaagde hij [Ovidius] zich over de Scythische kou en de stormachtige sombere Zwarte Zee. Ik begreep niet hoe Ovidius de Zwarte Zee somber had kunnen vinden. Het was een van de helderste en vrolijkste zeeën. En

van welke Scythische koude kon er sprake zijn in een omgeving waar het niet eens iedere winter sneeuwde. En waar, als er sneeuw viel, die maar een paar dagen bleef liggen, en dan al weer smolt en de gedooide aarde zwak naar de lente geurde.
(vertaling: Wim Hartog)

Paustovski heeft naar mijn idee gelijk als hij Ovidius beschuldigt van een al te negatieve voorstelling van zaken. Het immense verdriet van de dichter nam iedere nuancering weg. Je kunt Ovidius verwijten dat hij zijn ellende heeft uitvergroot, dat hij zich niet een beetje heeft opengesteld voor de goede kanten van het leven in een stadje aan de Zwarte Zee, want die waren er wel degelijk. Tomi kende naast koude, winterse dagen ook periodes met prachtig weer, en de mensen waren heus niet allemaal zo onaardig en onbeschaafd als Ovidius schrijft. Sommigen waren zelfs bereid naar zijn poëzie te luisteren. Paustovski, geboren in Odessa, keek met heel andere ogen, als een kind van de regio, naar het leven rond de Zwarte Zee. Vol melancholie schetst hij hoe hij in zijn jeugd op de havenkade zat en de zeewind en geuren van teer en roest van oude schepen opsnoof. Het waren voor hem momenten van intens geluk. Toen hij Ovidius kapittelde was hij net terug van een lange reis door Rusland. Hij bezag de Zwarte Zee vanuit het perspectief van een trotse bewoner uit Odessa die thuiskwam na de donkere guurheid van het noorden te hebben doorstaan.

Ovidius kwam uit een andere wereld, hij had altijd Rome in gedachten, andere steden telden niet voor hem. De stad die hij had moeten verlaten werd zijn norm. Afgemeten aan Rome was Tomi in zijn beleving een afgrijselijk oord met afzichtelijke mensen. Hij heeft zich er nooit thuis gevoeld. Wellicht had hij een voorbeeld kunnen nemen aan de Grieken, die de Zwarte Zee eerst 'ongastvrij' noemden en later 'gastvrij', toen ze de voordelen van het leven op de graanrijke Krim hadden leren kennen. Maar Ovidius was geen kolonist die zich uit zakelijk gewin vrijwillig naar een onbekende wereld had gespoed, hij was een balling die op bevel van hogerhand in Tomi verbleef en in zijn dromen nog altijd verwijlde in de stad die hem zo lief was.

Tomi is intussen het moderne Constantza geworden. Midden in de stad staat een beeld van een peinzende Ovidius, op het naar hem vernoemde plein. Vergeten is hoe ongelukkig hij zich hier heeft gevoeld en hoe zwartgallig hij zich over de stad en haar vroege bewoners heeft uitgelaten. Jongeren zitten nu aan zijn voeten en dromen van een toekomst in het Westen, in Italië wellicht, misschien zelfs in Rome, in de zekerheid dat ze ieder gewenst moment naar hun geboortegrond kunnen terugkeren. Dat is hun van harte gegund, want een heimwee als van Ovidius gun je niemand, al heeft zijn onpeilbaar verdriet wel schitterende poëzie opgeleverd.

Lofrede of vleierij?

Nog niet zo lang geleden, toen de communistische machthebbers nog vast in het zadel zaten, kwam het niet zelden voor dat de grote leiders redevoeringen hielden die enkele uren duurden. De toehoorders zaten roerloos op hun stoelen en niemand waagde het de zaal te verlaten voordat de grote roerganger was uitgesproken. De langste rede, bij mijn weten, was die van Nikita Chroestjov in 1956 op het Twintigste Partijcongres van de Communistische Partij in Moskou: bijna acht uur. Maar ook andere communistische leiders wisten er wel raad mee. Tito bijvoorbeeld, of Fidel Castro, of Mao Tse Thung, of bij ons Paul de Groot, de voorzitter van de Communistische Partij Nederland, voor wie redevoeringen van drie uur niet ongebruikelijk waren.

In Rome, in de keizertijd, was het in zoverre anders dat er wel langdurige redevoeringen werden gehouden, maar bij voorkeur niet door de keizer zelf. De sprekers waren consuls of vooraanstaande senatoren die een wit voetje bij de keizer wilden halen door hem omstandig te prijzen. Kritische kanttekeningen komen er nauwelijks in voor. Een van die redevoeringen is integraal bewaard gebleven en heeft de passende titel *Panegyricus* ('lofrede'). Spreker is Plinius de Jongere, een telg uit een gegoede senatoriale familie. Zijn moeder was een zuster van Plinius de Oudere, de schrijver van het antiquarische werk *Natuurlijke historie* die bij de uitbarsting van de Vesuvius in 79 de dood had gevonden en zijn hele vermogen had nagelaten aan zijn jonge neef. Plinius maakte snel carrière, bekleedde verschillende functies, met als hoogtepunt het consulaat en het gouverneurschap van de provincie Bithynië tijdens de regering van Trajanus (98-117). Hij stierf rond het jaar 114.

Plinius heeft zijn lofrede uitgesproken in het jaar 100 van onze jaartelling, bij zijn aantreden als consul. Met zijn *Panegyricus* is hij zowel de voortzetter van een oude traditie als de schepper van een nieuw genre geworden. In een ver verleden, de vierde eeuw v.Chr., had Xenophon een lofrede op de Spartaanse koning Agesilaüs geschreven en Isocrates had hetzelfde gedaan voor koning Euagoras van Cyprus. Uit recenter tijd stond Plinius het voorbeeld voor ogen van Cicero, die in zijn *Pro Marcello* lof toezwaaide aan de later door hem zo verguisde Julius Caesar. Maar de publicatie in boekvorm van een lofrede op een nog levende keizer was een nieuw fenomeen.

Onderwerp van zijn lofprijzing was keizer Trajanus, die twee jaar eerder de alleenheerschappij over het Romeinse rijk had verkregen, nadat de inwoners bijna vijftien jaar hadden gezucht onder de dwingelandij van Domitianus (81-96), een man met twee gezichten. Als bestuurder en 'vormgever' van Rome kan hij de vergelijking met andere keizers goed doorstaan, maar tegelijk was Domitianus een bloeddorstige, megalomane heerser die vooral van zichzelf hield. Zijn relatie met de senaat was slecht en bereikte een dieptepunt toen hij zich in officiële stukken betitelde als *Dominus et Deus* ('heer en god'), iets dat door de meeste Romeinen met afgrijzen werd bezien. De repressie die Domitianus aan de dag legde nam steeds gewelddadiger vormen aan. Senatoren werden gedood na ongegronde beschuldigingen. Plannen om de keizer te vermoorden waren er genoeg, maar pas in 96 werd het doel bereikt. Domitianus liet het leven en Nerva kwam op de troon. Hij adopteerde onmiddellijk Trajanus. Kort daarop stierf hij.

Hoewel Trajanus nog geen aansprekende prestaties op zijn naam had staan, vormde dat voor Plinius geen belemmering om de nieuwe keizer tegemoet te treden op een manier die ons op zijn zachtst gezegd merkwaardig voorkomt. Vijf uur en een kwartier moesten de senatoren aanhoren hoe Plinius de realiteit volkomen uit het oog verloor en de keizer verantwoordelijk achtte voor gebeurtenissen waaraan hij part noch deel gehad kon hebben. Zelfs voor retorisch geschoolde senatoren, die op dit gebied toch wel wat gewend waren, moet dit te veel van het goede zijn geweest.

De lofrede is één lange opsomming van alles wat keizer Trajanus in de slechts twee jaar dat hij aan het bewind was zou hebben klaargespeeld. Alles wat hij heeft gedaan is fantastisch en dat wordt nog extra beklemtoond doordat zijn daden worden afgezet tegen de wandaden van Domitianus. Er lijkt geen einde te komen aan de reeks voorvallen en handelingen van de jonge Trajanus die zijn grootheid moeten benadrukken: zijn giften en subsidies aan het volk, de spelen die hij organiseert, de verbanning van valse aanklagers, zijn belastingwetgeving, de verhoogde rechtszekerheid, zijn bouwactiviteit, zijn relatie tot de senaat en ten slotte zijn fysieke prestaties en vlekkeloze levenswandel.

De moderne lezer vraagt zich herhaaldelijk af wat een consul kan hebben bewogen om zo'n lofrede uit te spreken en ook nog eens te publiceren. Waarschijnlijk wilde Plinius de blijdschap en de dankbaarheid van de senatoren over de nieuwe tijden onder woorden brengen en de keizer met zijn rede vol superlatieven duidelijk maken dat hij nooit van de eenmaal ingeslagen weg mocht afwijken. Op alle mogelijke manieren wil hij zijn lezers voorhouden dat Trajanus de ideale heerser is waar heel Rome op zat te wachten. Hij wordt niet alleen geportretteerd als een keizer die zijn ambt vlekkeloos vervult, maar tevens als iemand die zich vrijwillig onderwerpt aan de Romeinse wetten. In hem komen oud-Romeinse deugden als zelfbeheersing, ingetogenheid, hoffelijkheid, vriendelijkheid, rechtschapenheid en soberheid samen. Van al die hoog geroemde deugden bezat zijn voorganger Domitianus er niet één.

Wanneer iemand vandaag de dag een dergelijke redevoering zou houden, zou hij onmiddellijk de verdenking op zich laden

Trajanus in het museum van Herakleion

een vleier, sterker nog, een hielenlikker te zijn. Hij zou niet serieus worden genomen. Dat Plinius een lofrede als deze kon houden zegt niet alleen veel over hem, maar ook over de keizer en de senatoren, die geen protest lieten horen, niet bij het uitspreken van de rede en evenmin bij de publicatie ervan. En er worden in deze redevoering toch dingen gezegd die niet alleen bij de moderne lezer maar ook bij menig Romeins senator bevreemding moeten hebben gewekt. Wat te denken van de wijze waarop Plinius Trajanus in verband brengt met het einde van een lange droogte in Egypte (*Panegyricus* 30):

> Egypte had zich er altijd op beroemd dat de gewassen er groeiden en vrucht droegen zonder dat het daar de regen uit de hemel voor hoefde te danken; voortdurend bevloeid door de eigen rivier en vruchtbaar gemaakt alleen door het water dat die rivier had aangevoerd, werd het door zo rijke gewassen bedekt dat het met de vruchtbaarste streken kon wedijveren zonder ooit aan de overwinning te hoeven twijfelen. Maar plotseling, door een onverwachte droogte, verdorde het land en droeg het de schande van onvruchtbaarheid. De Nijl, traag geworden, was slechts aarzelend en lusteloos buiten zijn oevers getreden, weliswaar ook toen nog te vergelijken met de grootste rivieren ter wereld, maar niet langer zonder mededingers. Hierdoor werd een groot gebied, dat gewoonlijk door de rivier werd overstroomd en bevrucht, nu overdekt met een gloeiend hete stoflaag. Tevergeefs bad Egypte om wolken en zag smekend op naar de hemel, nu de brenger van vruchtbaarheid was ineengeschrompeld en geslonken en het vruchtbare gebied van Egypte beperkt had tot zijn eigen smalle grenzen. Niet alleen kwam die rivier, die geen bedding heeft wanneer hij overstroomt, tot stilstand binnen de normale oevers, gevormd door de heuvels, ook uit het glooiende laagland, dat het water kon vasthouden, was de Nijl teruggeweken, niet in een kalme en zachte daling van de waterstand, maar door een abrupte

> vlucht. Het land, dat onvoldoende bevloeid was, werd zodoende toegevoegd aan het verdorde woestijnland. Daarom riep het land, dat beroofd was van zijn overstroming, dat wil zeggen van zijn vruchtbaarheid, de hulp in van u, Caesar, zoals het anders de rivier aanroept. Niet langer duurde zijn ongeluk dan de tijd die het bericht nodig had om u te bereiken. Zo snel, Caesar, werkt uw macht, zozeer ontfermt zich uw goedheid gelijkelijk over allen en staat zij voor allen klaar.

Even moeilijk te verteren is de koppeling die Plinius aanbrengt tussen 'vrijheid' en de macht van de keizer, twee begrippen die op het eerste gezicht onverenigbaar zijn omdat ze elkaar lijken uit te sluiten. In de Romeinse republiek hadden de senatoren zich gekoesterd in een absolute vrijheid (*libertas*), onafhankelijk van de bemoeienis van een boven de partijen staande persoon. Vrijheid werd beschouwd als het hoogste goed. In de keizertijd was van die vrijheid niet veel meer overgebleven. Augustus en zijn opvolgers hadden haar ingeperkt, tot grote teleurstelling van Tacitus en andere vooraanstaande Romeinen, die nostalgisch omzagen naar de vrijheid ten tijde van de republiek. Plinius bewandelt een heel andere weg. Hij ziet het juist als een positieve ontwikkeling dat de vrijheid van de rijksbewoners, inclusief die van de senatoren, afhankelijk wordt van de macht van Trajanus. Hij is het die vrijheid schenkt waardoor vrede en welvaart gewaarborgd zijn. Plinius gaat zelfs zover dat hij die afgeleide vrijheid idealiseert, getuige de volgende woorden (*Panegyricus* 66):

> De eerste dag van uw consulaat was nog maar net aangebroken of u trad het senaatsgebouw binnen en spoorde ons aan, individueel en collectief, om onze vrijheid te hernemen, het rijksbestuur als het ware gemeenschappelijk op ons te nemen en waakzaam en energiek op te komen voor de belangen van de staat. Al uw voorgangers hadden hetzelfde gezegd, maar niemand hadden we geloofd. Ons stond voor

> ogen de schipbreuk van zovelen die bij bedrieglijk mooi weer de zee op gegaan waren en door een onvoorziene storm waren overvallen. Immers, welke zee is verraderlijker dan de vriendelijke woorden van die keizers, die zo onberekenbaar en onbetrouwbaar waren dat men gemakkelijker voor hen op hun hoede kon zijn als ze woedend dan als ze minzaam waren. Zonder vrees en enthousiast volgen wij u waarheen u ons roept. U beveelt ons vrij te zijn. Dan zullen we ook vrij zijn. U gebiedt ons vrijuit onze mening te verkondigen. Dan zullen we dat ook doen.

De moderne lezer zal zich ergeren wanneer hij dit soort opmerkingen onder ogen krijgt en misschien heel voorzichtig de vergelijking maken met totalitaire regimes waarin de heerser eveneens op een voor ons onbegrijpelijke manier wordt geidealiseerd. De enige verdediging die ik voor Plinius' houding en zijn kritiekloze lofprijzing van Trajanus kan bedenken, is dat hij, en vermoedelijk de meerderheid van de Romeinse senatoren met hem, de hoop koesterde dat Trajanus definitief de laatste herinneringen aan het schrikbewind van Domitianus zou doen vervagen. In die context wordt zijn inspanning begrijpelijker: een redenaar overdrijft de kwaliteiten van een kort tevoren aangetreden keizer om het wanbestuur van diens voorganger scherper aan de kaak te kunnen stellen. Het ideaalbeeld van Trajanus is de tegenpool van de volledige ontluistering van Domitianus. Deze schroomde niet om zich *Deus* (god) te laten noemen en negeerde daarmee de scheiding van mensen en goden. Door zich als god te presenteren vervreemdde hij de mensen van zich en werd voorwerp van haat en spot. Trajanus wordt vergeleken met de goden, zonder god genoemd te worden. Dat zou een verklaring voor Plinius' onderdanige houding kunnen zijn, maar helemaal begrijpelijk wordt het voor de moderne lezer toch niet. Daarvoor gaan de lofprijzingen ons toch wat te ver.

Betaalde liefde

De hele maand augustus van het jaar 79 n.Chr had de vulkaan Vesuvius gerommeld. In de vroege ochtend van 24 augustus kwam eindelijk de verwachte explosie. Maar die was veel zwaarder dan verwacht. Enorme brokken puimsteen en gloeiende as baanden zich met donderend geweld een weg omlaag naar de stadjes aan de voet van de vulkaan. Twee verdwenen van de aardbodem: Herculaneum werd door een metersdikke deken van as en modder overspoeld, Pompeji werd door massa's steen en lava bedekt. Duizenden inwoners vonden de dood, velen gestikt in de giftige dampen in de kelders van hun huizen, waar zij veilig dachten te zijn, anderen op straat in een wanhopige vlucht voor de regen van as en stenen. Vele eeuwen rustte Pompeji onder het puin zonder dat er iets gebeurde. Pas in 1748 werd een voorzichtig begin gemaakt met de opgravingen. Aan de rand van Pompeji werd het amfitheater het eerst van zijn aslaag ontdaan. Vanaf de negentiende eeuw zijn op grote schaal opgravingen uitgevoerd, en tot de dag van vandaag zijn de archeologen daar aan het werk.

Als de opgravingen iets hebben duidelijk gemaakt, dan is het wel dat wat een ramp was voor de toenmalige inwoners van Pompeji een zegen is voor de moderne classicus, archeoloog en historicus. Omdat de stad binnen een dag van de aardbodem verdween, ligt alles er precies zo bij als op het moment waarop de Vesuvius zijn vernietigende werking begon. Er is geen andere stad uit de Griekse of Romeinse oudheid waaraan we af kunnen lezen hoe het leven er in een welvarende stad in het begin van onze jaartelling aan toeging. Het forum, de tempels van Jupiter, Venus en Apollo, het theater en het amfitheater, de thermen en de talrijke huizen en villa's, de vele voorwerpen en vooral de in puimsteen geconserveerde lijken van slachtoffers hebben Pompeji een menselijk gezicht gegeven.

Ook het leven dat het daglicht niet kan verdragen, het leven dat zich afspeelt in rood schemerlicht, openbaart zich in Pompeji in alle openheid en vormt een welkome aanvulling op de vaak gekleurde mededelingen die we van Romeinse schrijvers en dichters over de zelfkant van de samenleving hebben. Opgravingen hebben verscheidene bordelen blootgelegd, vermoedelijk ongeveer tien. Sommige geleerden gaan zelfs uit van tweeëntwintig bordelen, wat wel erg veel is. Het zou betekenen dat er op een totale bevolking van acht- tot tienduizend inwoners één bordeel voor vier- tot vijfhonderd inwoners zou zijn. De meeste daarvan waren onaanzienlijk en bestonden uit niet meer dan een kamertje in een armoedig flatgebouw of in een morsig hotelletje. Maar er zijn ook grote hoerenkasten gevonden aan de hand waarvan men kan aantonen dat ook in de oudheid de commercie een sterke greep had op prostitutie. Het grootste bordeel, *lupanar* of *lupanarium* in het Latijn, is het pand van de pooiers Africanus en Victor. Het heeft als huidig adres *Insula* VII.18. Het bevindt zich op een kruising van twee straten, vlak bij de Via dell' Abbondanza. Onbekenden hoefden niet lang te zoeken naar dit huis van plezier, want de fallussen op diverse gevels van huizen in de buurt verwezen ernaar. De gevel van het bordeel was in bonte kleuren beschilderd met een opzichtig aangebrachte fallus met daaronder het opschrift *Hic habitat felicitas* ('Hier woont geluk'). Van binnen was het pand verdeeld in een groot aantal kleine, nauwelijks geventileerde, door kleine olielampjes schaars verlichte peeskamertjes, waar de dames, *meretrices* genoemd, hun klanten ontvingen. Op de deur van ieder kamertje stond de naam van de prostituee die er werkte. Wanneer zij een klant ontving, hing zij een bordje *occupata* aan de buitenkant van de deur. Het bed was een soort stenen brits met een

Liefdesscène op een fresco uit de Casa del Centenario in Pompeji

dunne matras. Erg hygiënisch zal het er niet aan zijn toegegaan en het zal ook allemaal niet veel tijd in beslag hebben genomen. Vele klanten deden niet eens hun schoenen uit. Dat kan althans worden opgemaakt uit de slijtsporen die schoeisel op de bedden hebben achtergelaten.

De kamertjes in dit bordeel en andere huizen van vermaak zijn vaak zo goed geconserveerd dat ook de graffiti op de muren zichtbaar is geworden, waardoor de hoeren en hun klanten een naam hebben gekregen. Zo weten we wie de twintig dames waren die ooit in het bordeel van Africanus en Victor hebben gewerkt. Het zijn merendeels koosnaampjes, zoals *Eutychis* of *Fortunata* ('gelukkige'), *Phoebe* ('stralende'), *Suavis* ('zoete'), *Veneria* ('lieveling van Venus'), *Optata* ('gewenste') of *Callidrome* ('met mooie loop'). Ook de hoerenlopers zijn uit de anonimiteit getreden en schrijven, met vermelding van hun naam en soms hun beroep, over hun prestaties. Opschriften als *Hic ego multas puellas futui* ('hier heb ik vele meisjes geneukt') en *Myrtis, bene felas* ('Myrtis, je pijpt geweldig') laten aan duidelijkheid niets te wensen over.

De graffiti vertelt ons gelukkig nog meer, over de prijzen die er betaald moesten worden bijvoorbeeld. Die konden sterk variëren. In het bordeel van Africanus en Victor rekende Felicla twee *asses* voor een nummertje, een bedrag dat gelijk is aan de prijs van twee stukken brood of een halve liter huiswijn, terwijl haar collega Drauca zestien *asses* vroeg, acht keer zoveel. Het hoogste tarief in Pompeji was volgens de graffiti drieëntwintig *asses*, in Rome lagen de topprijzen overigens nog vele *asses* hoger. Kwam dat omdat de ene vrouw nu eenmaal mooier was dan de andere of omdat zij bereid was meer aan de wensen van de klant tegemoet te komen? Het laatste zal zeker hebben meegespeeld, want van een vrouw uit een ander bordeel wordt expliciet gezegd welke diensten zij verleende. Zij was *fellatrix* ('een pijpster') en *extaliosa* ('iemand die tot anaal geslachtsverkeer bereid was'). En van een Griekse tippelaarster wordt op een graffito gezegd dat ze in staat was tot het verrichten van *bellis moribus* ('fraaie kunstjes').

Rome had een veelvoud van het aantal bordelen in Pompeji. Naar het aantal kunnen we slechts gissen, maar we kunnen wel zeggen dat ze er in alle categorieën waren, variërend van luxe huizen van vertier tot kleine morsige kamertjes in een hotel, een herberg of, erger nog, een afwerkplek ergens in de gewelven van het Circus Maximus, het Colosseum of een begraafplaats, waar ook schandknapen hun liefde aanboden. In de bordelen was iedereen, vrijgeborene, vrijgelatene of slaaf, welkom, als hij maar betaalde. Ook leden van de elite lieten zich hier zien. Op hoerenbezoek rustte bij de Romeinen immers geen taboe. Zelfs een zedenprediker als Cato kon het billijken dat heren van stand zich in bordelen vervoegden. Dat was altijd nog beter dan getrouwde dames het hoofd op hol brengen. Alleen moest het wel bij bezoekjes blijven, ze moesten er niet 'wonen'. En Cicero, die bij andere gelegenheden bepaald niet zo ruimdenkend was, doet het in zijn verdedigingsrede voor Caelius, die een bezoek aan een hoer had gebracht, zelfs voorkomen alsof hoerenlopen onderdeel was van de *mos maiorum*, de gewoonten van de voorouders. Ik denk overigens wel dat de leden van de elite liever de hoeren bij hen thuis lieten komen dan dat ze zich in de bordelen, die door een sfeer van onveiligheid, geweld en criminaliteit waren omgeven, vertoonden. Misschien pikten ze wel meisjes van de straat op, want ook daar tierde de prostitutie welig. In de straten van het centrum, in portieken van huizen en tussen zuilengalerijen boden meisjes hun liefde aan.

De meeste hoeren waren slavinnen die door hun eigenaars tot prostitutie waren gedwongen, of vrijgelatenen die alleen op deze wijze de kost konden verdienen. Vrijgeboren vrouwen zullen in de minderheid zijn geweest, zeker in de keizertijd, toen ze zich bij de aedielen moesten laten inschrijven. Een afschrikwekkende werking ging daarvan echter niet uit. Bij sommige vrouwen was de nood zo hoog gestegen dat ze de geringe achting en de beroepskleding (*vestis meretricia*), die ze zelfs op het jaarlijkse feest voor hun beschermgodin Venus moesten dragen, op de koop toe namen. En dan waren er ook nog de vrouwen die uit puur verlangen hun lichaam aanboden. Zij waren afkomstig uit alle rangen en standen, ook uit de hoogste kringen. Uit de late Romeinse republiek kennen we de naam van Clodia, de zuster van Cicero's grote tegenspeler Publius Clodius, die als de meest betoverende en tegelijk meest verdorven vrouw van Rome werd beschouwd. Zij werd de *quadrantaria* ('stuiverhoer') genoemd. Het beruchtst is de nymfomane keizerin Messalina, de derde echtgenote van keizer Claudius. Juvenalis spreekt in zijn zesde satire (115-132) weinig vleiend over haar:

En wat heeft Claudius
niet meegemaakt? Wanneer zijn keizerin
hem slapend wist, ruilde ze haar paleisbed
graag voor een oud matras; een blonde pruik
over het zwarte haar, in cape vermomd
en met nooit meer dan één gezelschapsdame
sloop Hare Hoer-en-Majesteit de straat op
naar een bedompt bordeel, waar zij haar eigen
kleine hokje had met een versleten sprei.
De borsten goudombiesd en verder naakt verkocht
zij zich onder de naam Lycisca
en pronkte met haar buik, waarin een
prins gelegen had. Ze lonkte allerliefst
naar wie haar opzocht en bedong haar loon.
En als de hoerenbaas zijn meisjes zei
de zaak te sluiten, kwam zij altijd spijtig
het allerlaatst naar buiten, stijf en brandend
in 't onderlijf en wel vermoeid door mannen,
maar niet verzadigd nog. De oliewalm
had haar gezicht besmeurd met zwarte vegen...
(vertaling M. d'Hane-Scheltema)

Hoeveel mannen Messalina ook heeft versleten, eigenlijk kan zij niet als een echte *meretrix*, in de oorspronkelijke betekenis van het woord, worden betiteld. *Meretrix* betekent namelijk letterlijk 'verdienster', iemand die de kost verdient, afgeleid van het werkwoord *mereri* ('verdienen'). Waarschijnlijk is deze term al vroeg ingeburgerd, vermoedelijk in de derde of tweede eeuw v.Chr., toen er voor werkende vrouwen weinig mogelijkheden waren om geld te verdienen. Met de opkomst van de slavernij in de tweede eeuw v.Chr. nam het aantal vrouwen dat voor eigen rekening werkte af. Maar het woord *meretrix* is de hele oudheid door in gebruik gebleven, zonder dat iemand zich nog afvroeg hoe dat woord voor deze beroepsgroep was ontstaan.

Terug in het Colosseum

Onder een warme lentezon wandelde ik over de Via dei Fori Imperiali, de brede weg langs het Forum Romanum. In de verte doemde het Colosseum op. Ik was er al vaak geweest en wist dat het destijds in nog geen tien jaar uit de grond was gestampt, op de plek waar kort daarvoor nog de schitterende tuinen van Nero's gouden huis waren. Nero had zich in het jaar 68 van het leven beroofd en de nieuwe keizer Vespasianus had zich voorgenomen om alle sporen van het extravagante leven van zijn gehate voorganger uit te wissen. Het Colosseum moest het symbool worden van een nieuwe tijd, waarin de verbondenheid van keizer en volk werd uitgedragen. Het resultaat was verbluffend. Tijdgenoten kwamen woorden tekort om hun verbazing over het monumentale Colosseum uit te drukken. De dichter Martialis (*De opening van het Colosseum* 1) spreekt van een nieuw wereldwonder:

Ach, Memphis, zwijg maar van uw piramidepracht,
    Assyriërs, uw Babylon verbleekt.
De Ionische Dianatempel oogst geen lof,
    het Delos-altaar is vergane glorie.
Het Mausoleum? Ach, dat hangt wel in de lucht,
    maar heeft de Cariërs geen roem te bieden.
Nu wijken alle wonderen voor Caesars werk!
    Van een ding rept men nog, en anders niet.
(vertaling Vincent Hunink)

Noordkant van het Colosseum

Martialis' bewondering is terecht. Alleen al de afmetingen spreken zeer tot de verbeelding: het bouwwerk heeft twee denkbeeldige assen van 188 en 156 meter en een omtrek van 527 meter. De arena meet ruim 80 bij 54 meter en heeft een oppervlakte van ruim 3600 vierkante meter. En dan de hoogte. De buitengevel reikt met zijn vier verdiepingen 52 meter in de lucht. Gelijkvloers zijn 80 boogconstructies met Dorische halfzuilen, op de eerste en tweede verdieping evenveel arcades, omsloten door Ionische en Corinthische zuilen. De bovenste verdieping bestaat uit een dichte muur met vensters waarin vierkante Corinthische zuilen zijn verzonken. Het hele bouwwerk rust op een stevige fundering van beton en harde steen en op pijlers, geplaatst in zeven concentrische ringen, die het totale gewicht van dit immense amfitheater dragen.

Het Colosseum was eeuwenlang het schouwtoneel van massaal volksvermaak. Tien tot vijftien keer per jaar stroomde het vol voor een dagvullend programma. In de ochtend waren er gevechten van dieren tegen dieren en van mensen tegen dieren en werden groots opgezette dierenjachten gehouden. Tussen de middag werden er misdadigers geëxecuteerd, omgebracht met het zwaard, gekruisigd, verbrand of door wilde dieren verscheurd. Na de executies volgde het hoofdprogramma: de gladiatorengevechten. Duizenden gladiatoren, meestal slaven die tot de arena waren veroordeeld, hebben hier in de loop der eeuwen het volk van Rome een ongekend spektakel geboden.

Zolang het Rome goed ging waren de gladiatorenspelen er niet weg te denken. Tot de vierde eeuw was het volk in de ban van dit vermaak en de keizers speelden daar handig op in. Maar door de verslechterde economische omstandigheden en de opkomst van het christendom boetten de gladiatorengevechten aan betekenis in en in de loop van de vijfde eeuw verdwenen ze geheel. Het Colosseum werd een lege steenklomp. Onderhoud vond niet meer plaats. Aardbevingen trokken een spoor van vernieling door het gebouw en de hoogste verdiepingen stortten ineen. Maar zelfs in zijn onttakelde vorm biedt het amfitheater nog alle gelegenheid om je een voorstelling te maken van een feestdag in het leven van de gewone Romeinen.

Ik kocht een kaartje en ging naar binnen. De drukte was overweldigend, overal mensen die zich vergaapten aan de imponerende accommodatie voor een van de gruwelijkste, maar tegelijk ook spectaculairste vormen van Romeins volksvermaak. Ik klom naar de bovenste ring, zocht een plaatsje in de middagzon en keek neer op de restanten van de tribunes waar ooit meer dan vijftigduizend toeschouwers uit alle lagen van de bevolking bijeen waren: onderin, dicht op de arena, de keizer en de senatoren, daarboven de gewone burgers en daar weer boven de vrijgelatenen, de slaven en de vrouwen.

Langzaam vervaagde het beeld van de honderden toeristen, de sfeer van het oude amfitheater drong zich aan mij op. Wat was er zo spannend geweest aan die gevechten? Waarom kregen de Romeinen nooit genoeg van die bloedige spektakels? Ik beeldde mij in dat ik een van die gepassioneerde toeschouwers was.

De stilte is voelbaar als de openingsceremonie begint. Een lange stoet treedt de arena binnen. Vooraan in toga geklede *lictoren*, dienaren van de keizer. Over hun schouders dragen zij de *fasces,* de roedebundels, tekenen van de macht van hun meester. Achter hen trompetters, gevolgd door de keizer, met dienaren die schilden en helmen boven hun hoofd houden. De rij wordt gesloten door de hoofdpersonen: de gladiatoren.

Als de processie onder luid applaus van de toeschouwers de arena heeft verlaten, begint de warming-up. Twee aan twee betreden de helden van de arena het strijdtoneel en beginnen schijngevechten met houten wapens om de spieren los te maken en het publiek in de juiste stemming te brengen. Sommigen hebben een borstpantser, anderen vechten met ontbloot bovenlijf of dragen een mouwloze tuniek. Op een signaal van de hoofdscheidsrechter trekken ze zich terug in de catacomben en worden de echte wapens, de 'scherpe ijzers' binnengedragen om gekeurd te worden. De keurmeesters moeten zeer uiteenlopende wapens inspecteren, want de ene gladiator vecht met een lang zwaard en een klein schild, de ander heeft juist een groot schild en een klein kromzwaard of een dolk. Door hun lange training zijn het allemaal specialisten op één wapen. Alle combinaties zijn denkbaar, dat maakt de gevechten ook zo boeiend en onvoorspelbaar.

Als de eerste gladiatoren de arena betreden, speelt een orkestje ritmische, opzwepende muziek. Ze presenteren zich voor de keizerlijke loge. Alle toeschouwers leven hartstochtelijk mee en laten zich nadrukkelijk horen, want het gaat om twee topvechters met een grote reputatie. De trucs die zij in lange trainingen hebben geleerd, brengen ze nu in praktijk: aanvallen, verdedigen, schijnbewegingen, steken pareren en ontwijken, loeren op de kwetsbare lichaamsdelen van de tegenstander. Blind aanvallen doen ze niet, dat staat gelijk aan zelfvernietiging, want ze zijn opgeleid in dezelfde gladiatorenschool en kennen elkaars sterke en zwakke punten. De toeschouwers splitsen zich als vanzelf in twee kampen en juichen hun favoriet toe. De spanning loopt op, want de gladiatoren raken vermoeid en nog altijd is er geen winnaar. Dan komt de scheidsrechter in actie, hij last een korte pauze in om de strijders enige rust te geven en wat te laten drinken. Als er tien minuten na de hervatting van de strijd nog geen beslissing is gevallen en de gladiatoren de uitputting nabij zijn, beëindigt hij het gevecht. Hij richt zich tot de keizer en het publiek en vraagt om hun oordeel. Een enthousiast applaus daalt van de tribunes neer. Beide strijders krijgen een eervolle aftocht. Gebroederlijk lopen ze de arena uit.

De gevechten volgen elkaar in hoog tempo op. Een winnaar is nog niet gehuldigd of twee nieuwe kandidaten melden zich bij de scheidsrechter. Winst en verlies liggen telkens dicht bij elkaar, want de kleinste fout kan desastreuze gevolgen hebben. Nu eens breekt vermoeidheid een gladiator op, hij struikelt of verwaarloost zijn verdediging, dan weer brengt een slag van een tegenstander hem uit zijn evenwicht. Er vloeit veel bloed. Strijders zijgen gewond ineen, dodelijk getroffen of in opperste vertwijfeling wachtend op de doodsteek. De winnaars zijn blij, maar ook zij komen niet altijd ongeschonden uit de strijd.

Halverwege de middag ontstaat er grote opwinding. Een gladiator, uitgeput door de slagen van zijn tegenstander, geeft de strijd op. Een moment van zwakte doet hem om genade smeken. Hij is weliswaar getraind om op waardige wijze zijn dood te aanvaarden, maar in het aangezicht ervan speelt een laatste angst op. Door het laten vallen van zijn wapens geeft hij te kennen niet verder te kunnen vechten. De scheidsrechter wendt zich tot de keizer en vraagt diens oordeel. De keizer heeft de macht om zelf over leven en dood te beslissen, maar hij wendt zich tot het volk. Voor even neemt hij het volk serieus, één ogenblik lang heeft het volk een groot gevoel van macht: het kan door gejuich of gejoel zijn oordeel geven. En intussen wacht de verliezer, geknield, op de beslissing. Hoort hij roepen: *Mitte, mitte!*, 'Laat hem gaan. Laat hem gaan!', dan is hij er zeker van dat hij de arena levend mag verlaten. Maar het volk is, zoals zo vaak, hard in zijn oordeel en toont geen mededogen. De ongelukkige weet nu welk lot hem wacht. De kreet *iugula!* ('keel hem!') schalt door de arena. Zijn doodvonnis is getekend. Er wordt van hem verwacht dat hij dapper de dood tegemoet treedt. Hij knielt, de handen geklemd om de benen van zijn overwinnaar, buigt het hoofd voorover en wacht op de doodsteek in de nek of tussen de schouderbladen. Hij doet zijn helm niet af, zodat zijn tegenstander de laatste blik van de stervende niet hoeft te zien. En terwijl hij in het Romeinse jargon 'het ijzer ontvangt', schreeuwt het volk: '*Habet, hoc habet!*' ('Hij heeft het, hij heeft het!')

Hierna gaan de gevechten weer gewoon door, met steeds hetzelfde slotritueel. De overwinnaars lopen na het gevecht naar de keizerlijke loge, maken een buiging voor de keizer, zwaaien naar het publiek en verlaten de arena onder een daverend applaus. De gedode tegenstanders worden afgevoerd in een indrukwekkend ritueel. Ze worden op een met doeken omhangen baar door de *Porta Libitinaria*, de 'Poort van Libitina', godin van de dood en de begrafenis, naar buiten gedragen en overgebracht naar het *spoliarium*, een ruimte direct naast het amfitheater, waar ze van hun wapens worden ontdaan. Om er zeker van te zijn dat ze echt dood zijn en niet de dood veinzen om zo te overleven, wordt hun keel doorgesneden.

Er is de keizer veel aan gelegen dat de toeschouwers na een dagje Colosseum met een tevreden gevoel huiswaarts keren. Maar hij wil hen ook op het hart drukken dat het feit dat ze in

Openingsprocessie en gladiatorengevechten op een deel van een mozaïek uit Libië (Archeologisch Museum Tripolis)

de arena hun stem mogen verheffen niet betekent dat ze ook daarbuiten iets te zeggen hebben. In de gewone wereld gelden andere wetten; daar zijn ze volledig van hem afhankelijk. Hij is hun patroon, hij is degene van wie hun materiële welstand afhangt. Aan het eind van de middag wordt het publiek daar nog eens fijntjes op gewezen als hij geschenken onder het volk laat verdelen. Hoog vanuit het amfitheater laat hij met een katapult houten balletjes de tribunes in schieten, met daarop de vermelding van de prijs: een kruik wijn, een kledingstuk, een zilveren of zelfs een nog kostbaardere vaas. Wie zo'n balletje bemachtigt, moet ermee naar de verantwoordelijke beambte en ontvangt van hem zijn 'beloning'. Het volk vecht om ieder balletje, want elk extraatje is welkom. De keizer ziet het aan en lacht. Hij weet dat het met zijn populariteit wel goed zit en dat hij zich voor even geen zorgen hoeft te maken over de loyaliteit van zijn onderdanen. De verhoudingen zijn weer zoals ze horen te zijn. Dan stromen de tribunes langzaam leeg.

Ik ontwaakte uit mijn overpeinzingen. De bloedige arena, de dappere gladiatoren en de meelevende toeschouwers maakten weer plaats voor de werkelijkheid van druk gesticulerende toeristen. Ik realiseerde mij weer eens hoe moeilijk het voor de moderne mens is zich een weloverwogen oordeel te vormen over geweld in samenlevingen die al lang niet meer bestaan. Het is heel gemakkelijk om de moderne ethische meetlat langs gladiatorengevechten te leggen en verontwaardigd te raken over de wreedheid van de arena. Het is een vorm van 'ethisch correct gedrag' die geen recht doet aan de plaats van dit volksvermaak in de Romeinse maatschappij. We mogen niet vergeten dat het volk van Rome leefde in een tijd waarin geweld de gewoonste zaak van de wereld was. Zij wisten niet beter of het Colosseum en de gladiatorenshows hoorden bij het wezen van Rome. Wat zich in de arena afspeelde was een afspiegeling van het Romeinse militarisme en imperialisme, de gevechten herinnerden hen aan de soldaten die onder moeilijke omstandigheden het verzet van andere volkeren hadden gebroken en de macht van Rome hadden gevestigd. De gladiatorengevechten waren een imitatie van die oorlogen. De hoofdpersonen etaleerden typisch Romeinse deugden als dapperheid, onverschrokkenheid en doodsverachting. Mededogen met de vechters in de arena kenden de Romeinen niet. Vanuit de zekerheid dat zij de winnaars waren en de gladiatoren ter dood veroordeelde slaven keek het volk naar de gevechten en genoot ervan. Een dag in het Colosseum was een hoogtepunt in hun eentonige bestaan. De dagelijkse ellende en de spanningen waaraan men blootstond vielen tijdens de gevechten even van de mensen af.

Ik liep het Colosseum uit. Nog één keer keek ik om en ik moest denken aan de woorden van Beda Venerabilis, een Engelse monnik/schrijver uit de achtste eeuw:

> Zolang het Colosseum blijft bestaan, blijft Rome bestaan.
> Wanneer het Colosseum valt, valt ook Rome.
> Wanneer Rome valt, valt de hele wereld.

De christen Beda had de betekenis van het Colosseum, eeuwig monument van het heidense Rome, niet beter kunnen verwoorden.

Een waardige oude dag?

De oude Grieken vertelden elkaar graag de mythe van Eoos en Tithonus. De godin van de dageraad was zo verliefd op een sterfelijke man dat zij Zeus verzocht het eeuwige leven aan haar geliefde te schenken. Haar wens werd gehonoreerd en Tithonus overwon de dood. Maar Eoos vergat te vragen of hij ook zijn jeugd mocht behouden. Die verloor hij, en zo kwijnde hij langzaam weg. Uiteindelijk was hij niet meer dan een menselijk wrak. Eerst probeerde Eoos nog zijn aftakeling te verbloemen. Zij kleedde hem in de schoonste gewaden en voedde hem met ambrozijn. Tevergeefs, want met de dag werd hij zwakker, totdat hij zich niet meer kon bewegen en alleen nog maar een onverstaanbaar gerochel kon uitbrengen. Maar sterven kon hij niet.

Het is een tragisch verhaal, dat nog maar eens aangeeft hoezeer vergrijzing ook in een ver verleden een thema was dat de gemoederen bezighield. Tithonus had zich te schikken naar de wil van de goden. Zij waren onsterfelijk en bezaten de eeuwige jeugd, de mens was gedoemd tot verouderen en sterven. Dat de ouderdom met gebreken komt wist men toen nog beter dan wij. De nadelen van de lichamelijke en geestelijke aftakeling legden meer gewicht in de schaal dan de wijsheid en ervaring die aan oude mensen werd toegedicht. Velen viel de ouderdom zwaar, zij klaagden over gebrek aan energie, somberden over het leven en verlangden naar het einde.

De leeftijd waarop men als oud werd gekwalificeerd lag in mythische tijden heel hoog. In de eerste bijbelboeken is honderd jaar nog niet oud, want Methusalem en Adam zouden de leeftijd van negenhonderd jaar ruimschoots zijn gepasseerd. Die leeftijden zeggen meer over de gehanteerde chronologie in het Oude Testament dan over de werkelijke levensverwachting. De Grieken en Romeinen verbaasden zich erover dat hun vroegste voorvaderen leeftijden van ver boven de honderd normaal hadden gevonden. Plinius de Oudere (eerste eeuw n.Chr.) laat er in het zevende boek van zijn *Natuurlijke Historie* geen twijfel over bestaan dat die absurd hoge leeftijden wat hem betreft naar het rijk der fabelen verwezen moesten worden, maar hij neemt wel de moeite een aantal personen op te sommen van wie wordt verteld dat ze onnatuurlijk lang hebben geleefd: Arganthonius, de koning van de Tartesiërs, leefde honderd vijftig jaar, koning Cinyras van Cyprus nog tien jaar langer en een zekere Aegimius zelfs nog vijftig jaar extra. Sommigen zouden nóg ouder zijn geworden. Vol ongeloof schrijft Plinius dat in de werken van Ephorus (vierde eeuw v.Chr.) gesproken wordt over leeftijden van driehonderd jaar.

In de alledaagse wereld van de Grieken en Romeinen werden realistischer leeftijden gehanteerd. Sommigen lieten de ouderdom al bij veertig jaar beginnen, anderen hielden het op vijftig, de meeste filosofen hanteerden een ondergrens van zestig jaar. Wie die leeftijd had bereikt werd door de Grieken *geroon* ('oude man') en door de Romeinen *senex* genoemd. Het waren benamingen waaruit respect sprak. Niet voor niets werd de raad van Sparta, die het beleid opstelde en waar alleen mannen van boven de zestig deel van uitmaakten, *gerousia* genoemd. In Rome was het niet anders en gaf de term *senatus* aan dat oude, vooraanstaande lieden er toe behoorden. Ouderdom en respect gingen hand in hand.

Hoeveel mensen de leeftijd van zestig of meer bereikten is niet te zeggen. Velen stierven in de eerste levensjaren, maar vrouwen en mannen die de kinderziekten hadden overwonnen en niet het leven hadden gelaten in het kraambed of op het slagveld, maakten een redelijke kans om oud te worden. Maar hoe werd de ouderdom beleefd? De enige zekerheid is dat het voor de leden van de elite heel wat gemakkelijker was om een hoge leeftijd te bereiken dan voor het gewone volk. Zij leefden in mooie huizen, soms voorzien van stromend water, en hoefden zich geen zorgen te maken of er iedere dag wel voedzaam eten werd opgediend. Hun kapitaal en hun landbezit garandeerden hun een rustige oude dag, zonder financiële zorgen. Hoe anders lag dat bij arbeiders en handwerkslieden, om over de mensen die helemaal geen werk hadden maar te zwijgen. Zij hadden hun hele leven moeten 'bikkelen', en hadden net genoeg verdiend om niet van honger om te komen. Op leeftijd gekomen en niet meer tot het verrichten van arbeid in staat moesten ze maar zien of ze het hoofd boven water konden houden. Pensioenen waren er niet en een van staatswege verstrekte ouderdomsvoorziening was slechts heel af en toe beschikbaar. Als hun leeftijd hen hulpbehoevend maakte, waren ze aangewezen op hun familie. Maar wanneer hun kinderen of verwanten zich niets aan hen gelegen lieten liggen, waren hun laatste levensjaren vol kommer en kwel. Rijke weldoeners waren er genoeg, maar die lieten zich niet leiden door naastenliefde of barmhartigheid. Zij besteedden hun geld liever aan prestigieuze projecten, zoals de financiering van een oorlogsschip of een bijdrage aan een grote onderneming.

De ellendige positie van de arme oudere was alom bekend, maar veel filosofen vonden dat hun klachten te ver gingen, dat ze zich te zeer lieten leiden door hun lichamelijke ongemakken en de voordelen van de oude dag onvoldoende inzagen. De kwestie komt aan de orde in Plato's *Politeia*, in een debat tussen Cephalus en Socrates over de voor- en nadelen van de ouderdom. Cephalus is al een oude man en Socrates is ook de vijftig al ruimschoots gepasseerd. Cephalus vertelt dat de klachten van veel ouderen niet voortkomen uit hun werkelijke problemen maar zijn terug te voeren op het karakter van de klagers. Ze doen meelijwekkend omdat ze niet anders kunnen. Cephalus moet Socrates voor een deel gelijk geven als die stelt dat hij zijn ouderdom gemakkelijker kan dragen omdat hij vermogend

Cicero

is, maar hij stelt daar tegenover dat voor een arme, maar verstandige man de ouderdom niet moeilijker te dragen valt dan voor een rijke maar niet bijster intelligente. Het is zaak, zo wil Plato ons met deze gedachtewisseling leren, de ouderdom niet als iets negatiefs te zien, maar de positieve kanten evenzeer in ogenschouw te nemen.

De voor- en nadelen van de ouderdom worden uitvoerig belicht in Cicero's verhandeling *Cato Maior de senectute* ('Over de ouderdom'). Cicero schreef dit werk in de eerste maanden van 44 v.Chr., na een jaar vol verdriet. Zijn dochter Tullia was hem ontvallen en in het openbare leven was zijn rol praktisch uitgespeeld. Caesar was (nog) dictator en een herstel van de republiek was verder weg dan ooit. Cicero was op dat moment tweeënzestig jaar en zijn vriend Atticus, tot wie hij zich in dit geschrift richt, was al vijfenzestig. De ouderdom lag dus voor beiden op de loer. Om de droefheid over wat ooit was geweest en niet meer zou terugkeren te verdrijven en om de jaren die nog voor hem lagen een vleugje lichtheid te geven achtte Cicero het nodig de ouderdom vanuit een filosofische invalshoek te beschrijven. Hij bedacht daarvoor een vorm waarvan hij zeker wist dat die zijn lezers zou aanspreken: geen abstracte verhandeling over de verschillende aspecten van de ouderdom maar een gesprek tussen drie mensen, de dertigers Scipio Aemilianus en Gaius Laelius en de grijsaard Marcus Porcius Cato, die in het debat drieëntachtig jaar is. Het was een gouden greep om Cato sprekend op te voeren, want hij stond alom bekend als 'het geweten van Rome'. In het midden van de tweede eeuw had de hoogbejaarde Cato voortdurend aangedrongen op de vernietiging van Carthago en hij had geen gelegenheid voorbij laten gaan om de Romeinen erop te wijzen dat het met hun stad de verkeerde kant op zou gaan als ze de Griekse levenswijze in Rome introduceerden. De vitale Cato, die de last van de jaren niet leek te voelen, was de ideale figuur om de ouderdom te verdedigen tegen de 'aanvallen' van zijn twee jonge tegenspelers in het debat.

Cicero bouwt zijn betoog prachtig op. Na een korte inleiding waarin hij Cato laat zeggen dat wie de ouderdom als een last ervaart niet weet wat leven is en dat iedereen zich moet voorbereiden op zijn oude dag, stelt hij vier hoofdvragen aan de orde: leidt de ouderdom ons weg van ons werk, verzwakt zij ons lichaam, ontneemt zij ons onze lusten en pleziertjes en brengt zij ons dicht bij de dood? Het wordt al direct duidelijk dat Cicero Cato een visie op de ouderdom in de mond legt die vooral de intellectuelen binnen de elite moet hebben aangesproken. Zij hadden nooit veel opgehad met lichamelijke arbeid en fysieke geneugten, zij vonden dat ze zich vooral moesten richten op de schone kunsten. De ouderdom bood hun daartoe bij uitstek de gelegenheid, omdat ze zich nergens zorgen over hoefden te maken, maar zich uitsluitend konden concentreren op spirituele zaken. Als ze verstandig leefden vormde de ouderdom eenvoudigweg de voortzetting van hun vroegere leven. En omdat ze als ouderen een groter gezag uitstraalden werd er meer naar hen geluisterd. Niet voor niets benadrukt Cicero dat de homerische held Nestor, koning van Pylos en de oudste van de Grieken die naar Troje waren getrokken, was bekleed met groot gezag. Ouderdom en wijsheid hoorden bij elkaar.

Natuurlijk kan Cicero er niet omheen dat de oude dag gepaard gaat met aftakeling van het lichaam, maar door zich in zijn jeugd en volwassenheid te onthouden van drank en vrouwen en zich te storten op de wezenlijke vragen van het leven kan een wijs man dat proces vertragen en draaglijk maken. Zo volgt een mooie ouderdom op een zinvol doorgebrachte jeugd. In het verlengde hiervan laat Cicero Cato zeggen dat de ouderdom het grote voordeel heeft dat ze vrij is van allerlei loze geneugten die alleen maar afleiden van de grote vragen van het leven. Angst voor de dood hoeft de wijze ook niet te hebben. Hij moet de dood tegemoet zien met het gevoel waarmee een zeeman de haven nadert: vol vertrouwen en in de vaste overtuiging dat hij zijn leven heeft geleefd volgens de normen die een wijs man worden gesteld.

Of Cicero zelf in het laatste jaar van zijn leven troost heeft geput uit zijn eigen aanbevelingen, is de vraag. In zijn laatste brieven ontmoeten we een sombere man die niet altijd even goed is opgewassen tegen de wisselvalligheden van het leven en die klaagt dat de ouderdom hem soms zwaar valt. Maar hij bleef wel tot het einde van zijn leven actief in de politiek, totdat hij zijn verzet tegen de teloorgang van de republiek met de dood moest bekopen. Nog geen twee jaar na het schrijven van *De senectute* werd hij door beulen in dienst van Marcus Antonius onthoofd. Maar zijn ideeën leefden voort en zijn geestverwant Seneca spreekt er vol bewondering over, hoewel ook hij moet toegeven dat het niet eenvoudig is alle lasten van de ouderdom blijmoedig te dragen. Als de ouderdom een last wordt, moet de wijze de natuurlijke dood niet afwachten maar zelf een einde aan zijn leven maken. Seneca heeft dat ook gedaan, maar wel onder heel andere omstandigheden dan hij aanvankelijk zal hebben gedacht. Hij werd door keizer Nero gedwongen zelfmoord te plegen, waardoor hem, net als Cicero, een *otium honestum*, een eervolle oude dag, werd onthouden.

De filosofische benadering van de ouderdom was natuurlijk geen afspiegeling van de alledaagse werkelijkheid. De meeste aristocraten waren net zo bevreesd voor ziekten en gebreken als gewone mensen en sommigen vertoonden zich nauwelijks op straat, bang te worden uitgelachen en beschimpt. De ellende die de ouderdom met zich brengt wordt in de literatuur geregeld breed uitgemeten. Dan is er geen ruimte voor filosofische bespiegelingen over de zegeningen ervan, maar worden de lichamelijke aftakeling en veroudering in detail beschreven. Veel auteurs sommen de lichamelijke en geestelijke ongemakken op en laten er geen twijfel over bestaan dat ouderdom niet gelukkig maakt. Niemand maakt dat zo pijnlijk duidelijk als Juvenalis in zijn tiende satire (188-209). De wereld van Cicero is ineens heel ver weg:

> 'Geef ons veel tijd van leven, Jupiter,
> veel jaren lang.' Zo klinkt, en zo alleen,
> het smeekgebed van zieken en gezonden.
> Is ouderdom dan niet één lange reeks
> van narigheid? Je ziet het toch meteen al:
> een grauw, verlept gezicht, anders dan vroeger,
> een looien lap als huid, wangzakken slap

en rimpelgroeven die doen denken aan
een Afrikaanse moederaap die in
een donker bos haar oude kaken krabt.
Jeugd kent veel variaties: Jantje ziet
er knapper uit dan Pietje, die weer knapper
dan Klaasje is, die sterker is dan Jantje.
Ouderdom niet, daar is maar één gezicht:
trillende stem en handen, nauwelijks haar,
een kindse druipneus, brood dat zonder tanden
vermaald moet worden door zo'n zielenpoot,
die bovendien voor vrouw en kind zo'n last is,
– én voor zichzelf – dat zelfs een man als Cossus
zich niet meer inlikt voor de erfenis.
Het dor verhemelte geniet niet langer
van wijn en lekker eten; liefde is
sinds lang vergeten of gedoemd te falen
bij elke poging, levenskracht en adem
schieten tekort, zelfs als hij heel de nacht
gekieteld wordt. Maar wat verwacht je ook
van een vergrijsd, zwak oudemannenlijf?
(vertaling: M. d'Hane-Scheltema)

Juvenalis zal de zienswijze van velen hebben verwoord. Men lachte gebrekkige oude mensen uit en marginaliseerde hen. In de greep van de ouderdom was er voor de verouderende mens geen ontkomen aan. Het proces was onomkeerbaar. En hoe graag de doctoren hun patiënten ook wilden helpen, ze stonden machteloos. Hun geneesmiddelen konden het verval niet stoppen.

Omdat de wereld van de oudheid hard was, zonder mededogen voor de zwakkeren, dringt de vraag zich op of overheden er wel eens toe zijn overgegaan om zich van ouderen te ontdoen. Schrijvers uit die tijd haastten zich te zeggen dat verhalen daarover niet op waarheid berusten. Ovidius schrijft bijvoorbeeld dat degene die werkelijk gelooft dat in Rome in een

Kop van een door zorgen geplaagde oude man
uit de tweede eeuw v. Chr.

ver verleden mensen van zestig jaar werden gedood, onze voorouders van een verschrikkelijke misdaad beschuldigt. Maar de geruchten waren hardnekkig en de schrijver Festus voelt zich in de eerste eeuw gedwongen op die verhalen in te gaan en te laten weten dat er tijden waren dat mensen van zestig jaar van een brug in de Tiber werden gegooid. Wanneer dat gebeurde kan hij zich niet precies herinneren. Hij oppert de mogelijkheid dat het rond het jaar 385 v.Chr. was, toen Rome zich had ontworsteld aan de greep van de Galliërs, maar nog wel geteisterd werd door grote voedseltekorten. Om die reden, dus stomweg omdat er niet genoeg te eten was, zouden ouderen in de Tiber zijn gegooid. Festus haast zich erbij te vermelden dat de maatregel snel werd ingetrokken toen een jonge man zijn vader de stad uit had gesmokkeld en had kunnen verbergen. De oude vader bleef via zijn zoon de stad met raad terzijde staan. Toen de autoriteiten daar achter kwamen, riepen ze de oude man terug en hielden de plek waar hij zich een tijd lang verborgen had gehouden, in ere. Of deze anekdote op waarheid berust is niet zo belangrijk, het gaat erom dat de gedachte dat ouderen een probleem konden worden in de maatschappij de gemoederen bezighield. Dat Ovidius de aantijging categorisch ontkent geeft aan dat in zijn tijd van verstoting van ouderen geen sprake kan zijn geweest en dat hij niet wilde dat de voorvaderen, die in groot aanzien stonden, daarvan werden beticht.

De Romeinen en Grieken hebben zich, voor zover is na te gaan, nooit schuldig gemaakt aan het systematisch doden van ouderen, maar ze waren wel met die praktijk bekend. In de hen omringende landen ontmoetten ze volkeren die er geen been in zagen om hun vergrijsde medebewoners met geweld de dood in te jagen. Die radicale 'oplossing' werd door Grieken en Romeinen gezien als het bewijs dat die vreemde culturen barbaars waren en in alles tegengesteld aan wat zij als beschaafd beschouwden. De oude auteurs schrijven er dan ook over met verbazing en verwondering, maar ze schromen niet hun lezers pikante details voor te schotelen. Soms hoeven we er overigens niet aan te twijfelen dat de verhalen over ouderenmoord in de loop der jaren zijn aangedikt om het verschil met de eigen cultuur nog eens extra te benadrukken, zeker als het gaat om volkeren waarover weinig bekend was. Neem het verhaal van

Een dronken oude vrouw. Zij omklemt een grote wijnkruik

Diodorus Siculus (eerste eeuw v. Chr.) over een mysterieus volk op een onbekend eiland ver in het zuiden. Hij vertelt dat de mensen daar nauwelijks ziek zijn en zeer oud worden, soms wel honderd vijftig jaar. Als iemand slecht ter been is of op een andere manier lichamelijk of geestelijk uit de toon dreigt te vallen, dwingen zij hem met de wet in de hand om zichzelf het leven te benemen. En mocht iemand niet ziek worden, dan weet iedereen dat er een vaste grens aan het leven is gesteld. Wordt die overschreden, dan moeten degenen die te oud worden eveneens een einde aan hun leven maken. Over de ouderen onder het nomadische volk van de Trogodytes in Ethiopië geeft hij meer details. Hij schrijft dat ze precies weten wat hun te doen staat als ze hun kudden niet meer kunnen bijbenen. Ze binden de staart van een koe om hun nek en vinden zo een snelle dood. Dezelfde praktijk, maar dan in andere vorm, zien we bij de Hyperboreeërs, het mythische volk aan de noordelijke randen van de toen bekende wereld. Ook bij hen namen de ouderen hun verantwoordelijkheid en sprongen van een hoge rots in de Oceaan.

Het zijn slechts enkele getuigenissen uit een reeks van vele waaruit blijkt dat in de door Grieken en Romeinen als barbaars afgeschilderde samenlevingen iedereen zijn plaats kende en er geen probleem van maakte wanneer hem het einde van zijn leven werd aangezegd. Misschien wel het mooiste voorbeeld van collectieve verantwoordelijkheid voor een eerzame dood vinden we bij de Massageten, een volk dat leefde in de buurt van het Aralmeer. Als iemand bij hen een respectabele hoge leeftijd heeft bereikt, zo schrijft Herodotus, verzamelen zijn verwanten zich en offeren hem tegelijk met een aantal schapen. Ze koken zijn vlees tot het goed op smaak is en doen zich er vervolgens aan te goed. Dat wordt bij hen als de meest eervolle dood beschouwd. Wie aan een ziekte sterft krijgt geen deel aan dit geluk. Ze eten hem niet op, maar begraven hem en noemen hem beklagenswaardig, omdat hij het niet heeft mogen beleven geofferd te worden.

Hoe we ook over de oplossingen van barbaarse volkeren denken, ze geven in ieder geval aan dat die het probleem van de vergrijzing niet uit de weg gingen. Misschien wel beter dan wij zagen zij in dat het leven eindig was, dat er grenzen aan waren gesteld en dat als de natuur niet snel genoeg zijn werk deed, die natuur dan maar een handje moest worden geholpen. Als we van de barbaren en van de Grieken en Romeinen iets kunnen leren is het wel dat de ouderdom waardig gedragen moet worden en dat de dood onherroepelijk is, maar daarom niet gevreesd hoeft te worden. Het is een oude wijsheid, een die in onze maakbare samenleving moeilijk als leidraad te accepteren is.

Rijke Romeinen

In de huidige tijd bestaat de neiging alles in ranglijsten en statistieken vast te leggen. Ieder record, alles wat afwijkt van het gangbare, wordt geregistreerd en de meest vreemdsoortige prestaties worden opgenomen in het *Guiness Book of Records*. In ons land gaat ieder jaar onze speciale aandacht uit naar de *Quote*ranglijst van de vijfhonderd rijkste mensen. Het is altijd weer de vraag wie erop staan. Op de achtergrond speelt bij sommige lezers de gedachte mee dat een vermogen van honderd miljoen of meer niet is verdiend met fatsoenlijke arbeid, daar moet een luchtje aan zitten. We spreken over 'oud geld' en 'nieuw geld', maar wat eerzame rijkdom nu precies is weten we niet zo goed. We komen niet tot een algemeen geldende definitie. Zo blijven we om het begrip heen draaien en concentreren we ons op de randverschijnselen van bovenmatige rijkdom. Verbijstering en verontwaardiging klinken op over afkoopsommen of bonussen van tientallen miljoenen euro's voor presidenten van Raden van Bestuur van grote ondernemingen. De betreffende personen maken zich er niet druk om. Ze leiden het leven dat ze willen leiden en voelen zich geborgen in het 'old boys network'. De publieke opinie mag nog zo tegen hen zijn, zij weten dat alle wegen voor hen openstaan.

De Romeinen hadden uitgesproken ideeën over eerzame rijkdom en brachten die ook geregeld naar buiten. Nu waren de criteria voor hen ook wel iets gemakkelijker vast te stellen, omdat ze in een agrarische wereld leefden, waarin alles draaide om landbezit. De rest was bijzaak. Alleen wie daadwerkelijk van zijn landbezit kon leven was een *vir liber*, een vrij man. We moeten ons natuurlijk wel realiseren dat het hier de leden van de elite betrof die grote landerijen bezaten en neerkeken op mensen die geld verdienden in handel en nijverheid. Hún normen waren maatgevend in de samenleving. Maar de praktijk beantwoordde niet altijd aan het ideaal. Lang niet alle leden van de elite namen het even nauw met de gangbare regels en hielden zich ook bezig met commerciële activiteiten. Het waren niet de minste Romeinen die de oude gedragscodes loslieten. Cato de Oudere, bijvoorbeeld, die in de tweede eeuw v.Chr. het toonbeeld was van de oude Romeinse waarden van soberheid, eenvoud en gematigdheid, zou volgens Plutarchus (*Cato Maior* 21,5-6) in zijn persoonlijk leven in strijd met die waarden hebben gehandeld:

> Toen hij zich serieuzer toelegde op het maken van winst, ging hij de landbouw meer beschouwen als een aardige vorm van tijdverdrijf dan als een goede bron van inkomsten, en hij investeerde zijn vermogen in zaken die veilig waren en weinig risico's met zich meebrachten. Hij verwierf zich vijvers, warme bronnen, plaatsen waar wolkammers te werk werden gesteld, pekfabrieken, streken met natuurlijke wouden en bossen, die hem zeer grote inkomsten opleverden en die, om in zijn eigen woorden te spreken, niet door Zeus tenietgedaan konden worden. Ook de meest twijfelachtige vorm van geldbelening, voor schepen, schuwde hij niet. Zijn methode was de volgende: hij liet degenen die een lening afsloten gezamenlijk een vennootschap vormen en wanneer er vijftig deelnemers waren en evenveel schepen als zekerheid, nam hij er zelf een aandeel in en liet hij zich vertegenwoordigen door zijn vrijgelatene Quintio, die zijn cliënten in al hun ondernemingen begeleidde. Op deze wijze liep niet zijn hele kapitaal gevaar, maar slechts een klein deel. De winsten daarentegen waren hoog.

Of dit citaat op waarheid berust is niet zo belangrijk, het maakt in ieder geval duidelijk dat in het begin van de tweede eeuw n.Chr. de mening had postgevat dat leden van de elite niet vies waren van de winsten die in handel en nijverheid te halen waren. Hoe kon die aantijging meer gewicht krijgen dan met een beschuldiging aan het adres van Cato, het boegbeeld van de Romeinse traditionele deugden? Cato was overigens niet de eerste die in de verleiding werd gebracht zich met commerciële activiteiten in te laten. In 218 v.Chr. was er een wet (*Lex Claudia*) uitgevaardigd die het senatoren verbood om handel te drijven met schepen die een laadvermogen hadden van meer dan driehonderd amforen. Die geringe capaciteit werd voldoende geacht om de opbrengsten van de landerijen te vervoeren. Er werd expliciet aan toegevoegd dat ieder winstbejag voor senatoren als oneervol werd beschouwd. Sommige geleerden leggen die wet uit als het bewijs dat de elite niet echt handel dreef, anderen, bij wie ik mij graag aansluit, zijn van mening dat de wet juist de neiging van de senatoriale elite om op grote schaal handel te drijven moest beteugelen. Of de wet succes heeft gehad betwijfel ik, want in de laatste eeuw van de republiek waren er enkele vooraanstaande aristocraten die zich gedroegen als ware ondernemers. Zij hielden grote schepen in de vaart om de wijn van hun landerijen naar Gallië te exporteren. Op de bodem van de Middellandse Zee zijn in scheepswrakken van soms meer dan driehonderd ton duizenden wijnamforen aangetroffen waarop de namen van senatoren zijn gekrast. De winsten uit deze handel waren hoog. De schrijver Diodorus Siculus weet zelfs te melden dat de Galliërs zo verzot waren op wijn, dat ze soms een volle kruik ruilden voor een slaaf, die de senatoren dan weer op hun landerijen konden laten werken.

De winsten uit landbezit, handel en nijverheid liepen in de miljoenen sestertiën, maar waren gering vergeleken bij de verdiensten uit de grote veroveringsoorlogen. Consuls die legers hadden geleid naar glorieuze overwinningen waren in één klap vermogend. Het nieuwe geld werd direct in land geïnvesteerd, zodat de betrokkenen in alle opzichten als eerzame rijken konden worden betiteld. Wie een grote rijkdom bezat liet dat merken ook, in weerwil van het vaak in woord en geschrift uitgedragen adagium dat soberheid en eenvoud Rome groot hadden gemaakt. Vanaf het midden van de tweede eeuw v.Chr. hadden die deugden bij velen plaatsgemaakt voor weeldezucht en winstbejag. Door de veroveringen in Noord-Afrika, Griekenland en Klein-Azië waren er zoveel kostbaarheden naar Rome gekomen, dat de elite werd overweldigd door een verlangen naar steeds grotere rijkdom. Huizen van vermogende senatoren op de Palatijn en de Aventijn werden toonbeelden van luxe en op straat lieten magistraten zich vergezellen door grote groepen cliënten om te illustreren dat ze zich heel wat konden veroorloven. Romeinen voelden geen schaamte over zelfverrijking, ze waren er trots op. Het paste in de sfeer van onderlinge competitie om de beste te zijn, als het vertoon van rijkdom maar niet ontaardde in zinloze luxe en hebzucht.

Als we het over de rijkste Romeinen hebben moeten we denken aan lieden die meer dan twintig miljoen sestertiën bezaten. De gewone bevolking kon daar natuurlijk alleen maar met onverholen jaloezie naar kijken. Zij moesten het doen met een jaarsalaris dat varieerde van 125 sestertiën voor een ongeschoolde arbeider tot ruim 2000 sestertiën voor een goed opgeleide handwerksman. Die salarissen steken schril af bij de bedragen die senatoren en magistraten opstreken voor hun werk in overheidsdienst. Een procurator (een beheersambtenaar uit de ridderstand) verdiende 100 000 tot 300 000 sestertiën per jaar en een niet opvallend rijke senator ontving jaarlijks uit zijn vermogen en landerijen een opbrengst van 70 000 tot 490 000 sestertiën.

Hoe leuk het ook zou zijn om een lijst van de rijkste Romeinen op te stellen, bij gebrek aan betrouwbare cijfers is dat niet mogelijk. De meeste schrijvers laten het bij algemene opmerkingen en hebben slechts globale schattingen van vermogens aan het papier toevertrouwd. Hadden ze een ranglijst opgesteld, dan zouden de keizers onherroepelijk bovenaan hebben gestaan. Het is in ieder geval zeker dat zij over privévermogens beschikten waarbij de rijkdom van de allerrijkste consuls en senatoren schril afstak. Voor een deel teerden de machthebbers op de erfenis van Augustus, de eerste keizer. Al voordat hij zich in 27 v.Chr. definitief had verzekerd van de alleenheerschappij, had hij bezittingen van voormalige politieke tegenstanders verbeurd verklaard en voor een deel aan zichzelf vermaakt. Na zijn machtsgreep was hij daarmee doorgegaan. Het leverde hem enorme landerijen, mijnen, steengroeven, schitterende huizen en heel veel geld op, maar het meeste profijt had hij van de verovering van Egypte. Hij maakte het land tot zijn particuliere bezit en de belastingen die werden betaald kwamen voor een groot deel alleen hem ten goede.

Augustus leefde sober, zijn huis was niet bovenmatig luxueus ingericht en hij deed herhaaldelijk donaties aan zijn soldaten. Je zou hem in dit opzicht een voorbeeld voor zijn opvolgers kunnen noemen. Een aantal keizers na hem ging echter wat losser om met de uit hun machtspositie voortgekomen rijkdom. Zij vonden dat overdadig ingerichte eetzalen, kostbaar tafelzilver, copieuze maaltijden, prachtige tuinen en schitterende zwembaden hun afgetekende positie nog eens extra mochten benadrukken. Een enkeling kon de weelde niet aan en ging zich te buiten aan de meest uitgesproken vormen van extravagantie. We moeten hier wel bij aantekenen dat berichten daarover vooral te vinden zijn in de biografieën van slechte keizers als Caligula, Nero en Domitianus. Hun overdreven hang naar luxe en decadentie werd gezien als een extra bewijs dat zij niet op de troon thuishoorden. Een keizer moest juist laten zien dat hij bestand was tegen de weelde en zich ervan bewust zijn dat hij in de traditie van Augustus als 'eerste van de staat' een voorbeeldfunctie had te vervullen.

In de Romeinse literatuur worden heel wat personen als zeer vermogend afgeschilderd. Ze zijn in meerderheid afkomstig uit de senatorenstand. Een aantal families springt er duidelijk uit, zoals in de tweede en eerste eeuw v.Chr. de familie van de Crassi. Hun welstand was zo groot dat zij openlijk werden aangeduid als *dives* ('rijk'). Het meest prominente familielid was Marcus Licinius Crassus. Hij bracht het in 70 en 55 v.Chr. tot consul en maakte in 60 v.Chr. deel uit van het befaamde driemanschap met Caesar en Pompeius. Veel sympathie genoot hij niet, vermoedelijk omdat hij al te opzichtig met zijn rijkdom pronkte, zoals we kunnen opmaken uit het misprijzende commentaar van Plinius de Oudere (*Natuurlijke Historie* 33,134):

> Marcus Crassus verkondigde dat niemand rijk was als hij niet van zijn jaarlijks inkomen een legioen op de been kon houden. Hij bezat voor tweehonderd miljoen sestertiën aan landerijen en was na Sulla de rijkste Romeinse burger. Maar hij was niet tevreden voordat hij zich ook nog de hele goudvoorraad van de Parthen had toegeëigend. Ook al heeft hij zich voorgoed een blijvende reputatie van rijkdom verworven (met genoegen stel ik die onverzadigbare hebzucht aan de kaak), wij kennen uit de tijd na hem veel vrijgelaten slaven die rijker waren, en wel drie tegelijk, kort geleden tijdens de regering van Claudius, namelijk Callisthus, Pallas en Narcissus.
> (vertaling: Joost van Gelder e.a.)

Crassus is de geschiedenis ingegaan als het prototype van de hebzuchtige Romein. Overal waar hij zich vertoonde legde hij een onbedwingbaar verlangen naar nog méér geld aan de dag. Zijn inkomsten kwamen niet alleen voort uit respectabele landbezittingen, maar ook uit zilvermijnen en onroerend goed en, niet te vergeten, uit oorlogsbuit. Zijn zucht naar geld is hem uiteindelijk noodlottig geworden. Hij trok in 53 v.Chr. op tegen de Parthen, in de hoop zich meester te kunnen maken van hun goud, maar liep in een hinderlaag en werd gedood. Om hun minachting voor zijn hebzucht duidelijk te maken stopten de Parthen zijn mond vol met goud.

Lucius Cornelius Sulla, die in de jaren tachtig van de eerste eeuw v.Chr. in Griekenland veel buit maakte en na zijn terugkeer als dictator de eigendommen van zijn politieke tegenstanders confisqueerde, was nog veel vermogender dan Crassus, maar omdat hij niet te koop liep met zijn rijkdom werd hij niet echt beticht van opzichtige zelfverrijking. Iets minder vermogend dan Crassus maar niet minder hebberig was zijn tijdgenoot Lucius Licinius Lucullus. Diens bezit wordt geschat op honderd miljoen sestertiën, een bedrag dat voor een deel afkomstig was uit de erfenis van zijn vader en dat hij verder had aangevuld met buit uit de oorlog tegen koning Mithridates van Pontus en door geldleningen tegen hoge rentepercentages. Hij leidde een extravagant leven in luxueuze villa's en had de reputatie van een gierigaard. Hij deinsde er zelfs niet voor terug aan mensen die bij hem wilden komen eten daar bedragen van duizenden sestertiën voor te vragen. Wie uit snobisme een diner wilde geven in de duurste eetkamer van zijn huis, de Apollokamer, moest daarvoor 200 000 sestertiën neertellen.

Voor zover we weten is Gnaeus Cornelius Lentulus na de keizers de allerrijkste man van Rome geweest. Hij had een vermogen van meer dan vierhonderd miljoen sestertiën bijeen gesprokkeld uit grote landerijen in Spanje, het toezicht op de belastingen in Klein-Azië, handelsondernemingen in Gallië en vooral uit speciale opdrachten die hem door keizer Augustus waren gegeven. Hij was een man van weinig woorden en stond niet als buitengewoon intelligent bekend, maar volgens Tacitus was hij niet onsympathiek. Hij had zich na financiële tegenslagen uit zijn armoede opgewerkt zonder anderen te benadelen en had ondanks zijn rijkdom maat weten te houden.

Lentulus moet een uitzondering zijn geweest, want als we afgaan op uitlatingen van de filosoof Seneca, leefden de meeste vermogende Romeinen er maar op los zonder zich af te vragen of ze zich met die levenswijze niet te zeer vervreemdden van het verleden. Het is opvallend dat die woorden uit de mond van Seneca kwamen, want hij was in zijn tijd, de regeringsperiode van Claudius en Nero, een van de rijkste mensen van Rome. Hij bezat enorme landgoederen in Spanje, Italië en Egypte, ter waarde van meer dan driehonderd miljoen sestertiën en had daaruit een jaarlijks rendement dat soms wel tot zeventien miljoen sestertiën opliep. Hij wees zijn tijdgenoten er voortdurend op dat rijkdom niet gelukkig maakte en dat echte waarden niet in welvaart en luxe te vinden waren. Maar zijn woorden verwaaiden in de voorspoed die velen beleefden. Het ging het rijk economisch voor de wind en met name de rijkste Romeinen profiteerden daarvan.

Niet alleen leden van de senatoriale elite of ridders werden steeds rijker, ook mensen van lage afkomst verwierven soms een grote welstand. Onder hen ook enkele sporthelden, onder wie de beroemdste wagenmenner van Rome, Diocles. Deze uit Spanje afkomstige volksheld verdiende in zijn carrière ongeveer zevenendertig miljoen sestertiën. Hij was zo trots op zijn prijzengeld dat hij aan het einde van zijn sportieve loopbaan een monument liet oprichten, met daarop een lange inscriptie waarin al zijn overwinningen en prijzen werden opgesomd. Zijn rijkdom stelde overigens weinig voor vergeleken met de vermogens van bijna vierhonderd miljoen sestertiën van de vrijgelatenen Narcissus en Pallas, vertrouwelingen van keizer Claudius. Die had Narcissus benoemd tot zijn persoonlijke secretaris en Pallas tot zijn financiële raadgever. Suetonius laat doorschemeren dat Claudius zich willoos aan hun grillen overleverde en zijn goedkeuring gaf aan een senaatsbesluit waarin bijzondere beloningen aan hen werden toegekend. Hij had ook toegelaten dat ze zich op onrechtmatige wijze verrijkten en hun geld investeerden in grote landgoederen in Egypte.

We zouden heel veel Romeinen kunnen opnoemen die vermogens van meer dan vijftig miljoen sestertiën hadden verzameld. Ik wil het laten bij twee namen: Marcus Vipsanius Agrippa en Marcus Gavius Apicius. Hun rijkdom verschilde niet zoveel, ze bezaten allebei ongeveer honderd miljoen sestertiën. Hun imago's waren wel verschillend, omdat zij hun vermogen voor heel andere doeleinden aanwendden. Agrippa, adviseur, vriend en later schoonzoon van keizer Augustus, had een groot deel van zijn bezit vergaard in de burgeroorlog die aan het principaat van Augustus voorafging. Hij had rijkelijk geprofiteerd van de verbanningen van politieke tegenstanders en had landerijen ontvangen die hadden toebehoord aan verslagen tegenstanders van de keizer. Toen de rust in Rome was weergekeerd en Augustus vast in het zadel zat, heeft Agrippa in een charmeoffensief een gedeelte van dat geld teruggegeven aan de samenleving. Uit zijn privévermogen financierde hij het beroemde Pantheon in Rome en hij stak veel geld in aquaducten en openbare baden. De meeste lof oogstte hij met een redevoering waarin hij ervoor pleitte schilderijen en beelden voor het publiek tentoon te stellen en ze niet te 'verbannen' naar de buitenhuizen van de leden van de elite.

Apicius was in alle opzichten zijn tegenpool. Eigenlijk was hij een tragische man, die de weelde niet aankon. Door zijn omgang met de keizers Augustus en Tiberius had hij een gigantisch vermogen vergaard, maar de gedachte dat hij daar ook anderen gelukkig mee kon maken was hem vreemd. Hij legde een enorme spilzucht aan de dag en organiseerde gigantische diners. Wat vooral kwaad bloed zette was dat hij de euvele moed had zijn grote kennis van eten en drinken uit te dragen in een kookboek. Dat paste een eerzame senator niet. De al eerder ter sprake gebrachte Plinius de Oudere, die zelf trouwens ook bemiddeld was, noemde hem een verkwister en een brasser. Niet zonder instemming van anderen vermeldt Seneca dat Apicius aan zijn eigen wangedrag ten onder is gegaan. Hij zou grote schulden hebben gemaakt en zich ten slotte met vergif van het leven hebben beroofd.

De meeste rijke Romeinen was een beter lot beschoren. Zij leidden tot hun dood een prettig leven in hun grote villa's in Rome en op hun landgoederen in Italië of in de provincies. De gewone burgers van Rome keken er met afgunst naar, maar er iets aan veranderen konden die niet. De Romeinse maatschappij was nu eenmaal zodanig geordend dat het voor mensen die niet tot de elite behoorden buitengewoon moeilijk was tot de hoogste kringen door te dringen. Zij schikten zich in hun onderdanige en vaak afhankelijke positie, zonder een protest tegen de exorbitante zelfverrijking te laten horen. De bedenkingen kwamen vooral van senatoren die de protserigheid van hun collega's aan de kaak stelden. De rijkdom zelf ter discussie stellen of er gedeeltelijk afstand van doen was voor hen niet aan de orde. Het zou de inrichting van de Romeinse samenleving hebben ondermijnd en daar zouden ze zelf de dupe van zijn geworden. Dus hielden ze het bij de opmerking dat rijkdom niet gelukkig maakt. Het enige wat je daar over kunt zeggen is dat zij recht van spreken hadden, want zij konden het weten.

Hoge nood

In enquêtes over kwesties die burgers zorgen baren wordt vaak het gedrag van nachtbrakers aan de orde gesteld. Luidruchtig trekken ze door historische binnensteden en ze plassen tegen elke muur die ze op hun weg vinden. Tien jaar geleden was de Utrechtse wethouder van Openbare Werken het zat en liet spetterplaten aanbrengen op plekken waar met grote regelmaat werd geürineerd. De nachtplasser krijgt lik op stuk, want wanneer hij zijn straal op de schuin opgestelde plaat richt, spatten de druppels terug op zijn broek. Ik denk niet dat het heeft gewerkt, ik heb er in elk geval later nooit meer iets over vernomen. En als het een succes was geweest, zouden andere steden zeker ook van die spetterplaatsen hebben geïnstalleerd. Wildplassen is nog altijd zo'n groot probleem dat de gemeente Groningen onlangs besloten heeft een boete van vijfenzeventig euro per overtreding op te leggen.

Het gedrag van dronken plassers riep bij mij de vraag op of dergelijke overlast in het oude Rome met zijn miljoen inwoners, talrijke historische gebouwen en vele kroegen niet nog veel groter moet zijn geweest. Ik realiseer me dat het een anachronistische vraag is, waarop slechts een genuanceerd antwoord past. Rome was een heel andere stad dan Groningen of Utrecht en de overlast van plassers viel destijds in het niet bij de ellende van nachtelijke criminaliteit en tekortschietende hygiëne.

Rome heeft lang, tot aan de periode van de grote veroveringsoorlogen, de reputatie gehad van een betrekkelijk veilige stad, die het af kon zonder een politiekorps. Burgers voelden zich, ongeacht hun positie in de maatschappij, met elkaar verbonden. Senatoren bekommerden zich om het volk door hen in patronage-verband materieel te ondersteunen, in ruil waarvoor de begunstigden op hen stemden. Het was voldoende om onlusten en relletjes te voorkomen. Na de grote successen in oorlogen tegen de Grieken en de Carthagers vervaagden de traditionele saamhorigheid en de sociale controle. De senatoren raakten in hun onderlinge competitie hopeloos verdeeld en de maatschappelijke cohesie werd minder. De komst van talrijke nieuwe bewoners, ex-boeren van het platteland en vreemdelingen uit de veroverde gebieden, leidde tot een flinke groei van de onderlaag van de bevolking. De nieuwkomers en anderen die buiten de boot vielen moesten alle middelen aangrijpen om te overleven.

De ontevredenheid over de concurrentie in de harde Romeinse samenleving baande zich geregeld in onlusten en rellen een weg naar buiten. Door het ontbreken van een goed georganiseerde politiemacht kon het straatgeweld verder escaleren. Knokploegen paradeerden door de straten van Rome, wat weer nieuw geweld uitlokte. Rome werd het toneel van rondtrekkende benden die elkaar letterlijk naar het leven stonden. De overheid had er geen afdoende antwoord op. Om zich tegen nachtelijke overvallen te beschermen lieten welgestelde lieden zich begeleiden door goed bewapende paramilitaire eenheden. Minder draagkrachtige bewoners die zich in de nachtelijke uren alleen in het uitgaanscentrum van Rome waagden werden nogal eens in elkaar geslagen en beroofd.

In de keizertijd nam het straatgeweld verder toe, ondanks de pogingen van keizer Augustus om door de instelling van een speciale nachtpolitie de veiligheid van de burgers in het stadscentrum te garanderen. Het tij was niet te keren, omdat de individualisering in de maatschappij was doorgeschoten en de sociale controle nagenoeg was verdwenen. Rome werd een stad waarin alle middelen om te overleven geoorloofd waren. Diefstal, afpersingen, straatberovingen, moord en doodslag, de metropool kreeg ze allemaal te verwerken en wist er geen raad mee, temeer daar enkele keizers de ernst van de situatie niet goed beseften. Van keizer Nero wordt verteld dat hij er geregeld 's nachts in vermomming op uittrok om samen met een stel trawanten voorbijgangers in elkaar te rammen, met messteken te verwonden of zelfs in de afvoer van het riool te gooien. Omdat Nero zich zo vrijelijk aan nachtelijke misdaden schuldig kon maken, zonder herkend te worden, mogen we gerust aannemen dat er heel wat bendes moeten zijn geweest die zich aan de controle van de nachtpolitie onttrokken. De situatie was aan het einde van de eerste eeuw zo ernstig dat Tacitus vol walging vertelt dat het er in Rome aan toeging als in een veroverde stad: er heerste chaos en bloeddorst. Afgemeten aan deze duistere criminaliteit was het plassen van dronken passanten tegen de muren van een openbaar gebouw een bagatel. Een keizer die er iets aan had willen doen, zou de handen er nooit voor op elkaar hebben gekregen. Hij zou te horen hebben gekregen dat hij eerst maar eens moest zorgen voor veiligheid op straat.

De keizers hebben zich er dan ook niet aan gewaagd, want hoewel ze zelf in mooie villa's of paleizen woonden, wisten ze dat Rome talrijke sloppenwijken kende waarin de hygiëne een structureel probleem was. We kunnen rustig stellen dat de overgrote meerderheid van de bevolking het moest stellen zonder sanitaire voorzieningen. Alleen rijke mensen beschikten in hun huizen over *latrinae*. De uitwerpselen werden via buizen afgevoerd naar een gat diep in de grond, waar de stront zich ophoopte en uiteindelijk door slaven werd weggehaald. Alleen de meest luxueuze villa's waren aangesloten op een riolering. Het volk van Rome kon hier alleen maar van dromen, het woonde in behuizingen zonder sanitaire voorzieningen, er was niets dat ook maar in de verste verte aan een wc deed denken. De allerarmsten sliepen in een soort plaggenhutten, tegen de muren van openbare gebouwen, vlak bij tempels of tussen zuilengangen van winkels. Die bouwsels mochten blijven staan zolang ze geen belemmering vormden voor de toegankelijkheid van de publieke ruimte. Was dat wel het geval, dan werden ze op bevel van hogerhand weggehaald en moesten de daklozen uitzien naar een ander onderkomen. De iets beter gesitueerden woonden in dicht opeengepakte flatgebouwen, in kleine morsige appartementjes zonder enig comfort.

De antieke auteurs vertellen ons nauwelijks iets over het ontbreken van sanitaire voorzieningen in de huizen van de arme stadsbewoners. Het werd als de gewoonste zaak van de wereld beschouwd dat een wc of iets wat daarvoor moest doorgaan ontbrak. Alleen graffiti maakt de problematiek zichtbaar. Een opschrift op de muur van een hotelkamertje in Pompeji (*Corpus Inscriptionum Latinarum* 4,4957) toont de paniek die velen moeten hebben gevoeld wanneer ze 's nachts geen gelegenheid hadden om een plas te doen. Letterlijk staat er:

> We hebben in ons bed geplast, ik geef het toe. U, waard,
> vraagt waarom? Omdat er geen nachtpot was.

Dat er in het hotelletje geen toilet was, kon de waard niet worden aangerekend, maar dat hij niet gezorgd had voor een kruik op de kamer voor een nachtelijke plaspauze, was een grote fout. Zo'n pot behoorde namelijk tot de vaste inventaris van huizen zonder toilet, evenals de zeer grote amfoor beneden aan de trap van een flatgebouw, waarin die potten werden geleegd. Die grote, soms bijna manshoge, amforen, werden ook weer geleegd, als het meezat door een vuilophaaldienst of anders door de bewoners zelf wanneer zij de stank niet langer konden verdragen. Maar omdat het leegmaken van die amforen zeer onregelmatig gebeurde, namen sommigen het met de hygiëne niet zo nauw en stortten, ondanks de zware straf die daarop stond, hun urine van enkele verdiepingen naar beneden.

De mensen zonder wc konden in Rome overdag terecht op een van de openbare toiletten, verspreid over de hele stad. Hoeveel er daarvan waren is moeilijk te zeggen. In de vierde eeuw,

Romeinse latrines in de Noord-Afrikaanse stad Sabratha

toen het aantal inwoners van de stad al dalende was, zijn er minimaal 144 complexen geweest, elk met een capaciteit van minstens twintig plaatsen, maar in de eeuwen daarvoor waren het er ongetwijfeld veel meer. Opgravingen in Pompeji en Ostia laten zien dat die toiletten in de regel ruimten met drie wanden waren, in de vorm van een hoefijzer. De bezoekers zaten op een marmeren zitplaats met daarin een groot gat en aan de voorkant een uitgespaarde sleuf om het schoonmaken te vergemakkelijken. Onder de bank liep een goot waardoor voortdurend water stroomde om de uitwerpselen weg te spoelen. Dat water kwam uit op het openbare riool.

Waar wij spreken van het kleinste kamertje was dit Romeinse toilet een openbare gelegenheid, een soort ontmoetingsplaats. Men zat naast elkaar en wisselde de laatste nieuwtjes uit. Sommige mensen waren niet van de toiletten weg te slaan en bleven er de hele dag rondhangen. De dichter Martialis vertelt ironisch over een zekere Vacerra die bekendstond als een 'lange poeper'. Hij bleef net zo lang zitten totdat iemand hem uitnodigde om te komen eten.

Niet ieder openbaar toilet zag er hetzelfde uit. De grote toiletten naast de openbare baden waren hygiënisch en met hun vloerverwarming ook comfortabel, de door kleine uitbaters gedreven privébedrijfjes misten daarentegen zowel luxe als hygiëne. Maar hoe primitief ook, overal konden bezoekers hun handen wassen met stromend water, afgetapt van de openbare waterleiding. Waarschijnlijk was het aantal openbare *latrinae* onvoldoende en waren ze niet goed genoeg verspreid over de stad om de bevolking van Rome adequate voorzieningen te bieden, met als gevolg dat wie 's nachts of overdag hoge nood had en thuis niet terecht kon maar moest zien waar hij (of zij) zijn behoeften deed. Wie geen openbaar toilet kon vinden mocht hopen dat hij zijn plas kon doen in een van de vele grote, in de grond ingegraven amforen met afgebroken hals. Vollers gebruikten de daarin opgevangen urine bij de fabricage van textiel, een winstgevende praktijk die ook keizer Vespasianus niet was ontgaan. Toen zijn zoon Titus bezwaar maakte tegen zijn voornemen om de vollers belasting op te leggen voor het gebruik van de urine, hield de keizer hem een munt onder zijn neus en zei, na hem erop te hebben gewezen dat die uit de rioolopbrengsten kwam: *Pecunia non olet* ('geld stinkt niet').

Als iemand met hoge nood niet het geluk had op een legale plaats een plas te kunnen doen, was hij wel gedwongen dat op straat te doen, op elke denkbare plek, mogelijk zelfs tegen de muur van een openbaar gebouw. Hoeveel ergernis dit soms opwekte kunnen we lezen op een muurschrift in Pompeji:

> Zak, zoek een plek wat verder op. Als we je te pakken krijgen zullen we je zwaar te grazen nemen. Donder op.

Of het geholpen heeft? Ik waag het te betwijfelen. Nood breekt wet, zeker hoge nood.

Urinatores: waaghalzen of zielenpoten?

Nauwelijks had Gilgamesj dit vernomen,
of hij opende de buis, nam de gereedschappen weg,
bond zich zware stenen aan de voeten:
en toen die hem naar de diepte hadden getrokken,
ontwaarde hij de plant,
en waarlijk, hij heeft die geplukt,
al prikte zij hem in de hand!
De zware stenen sneed hij af van de voeten
en ten tweeden maal wierp hem de vloed op het strand.
(*Gilgamesj Epos* 11.271-276;
vertaling F.M.Th. de Liagre Böhl)

Zo wordt het oudste duikavontuur uit de geschiedenis beschreven, tweeduizend jaar v.Chr. Het is een spectaculair begin, de duiker was niet zo maar iemand, maar een wereldheerser: de koning van het Soemerische Uruk. Niet alleen de man was bijzonder, de duik die hij maakte was zeker zo opmerkelijk. Gilgamesj was namelijk op zoek naar het levenskruid dat hem het eeuwige leven kon schenken.

Begint de geschiedenis van het duiken in de oudheid met een opvallende persoonlijkheid, zij eindigt met de duik van een nog legendarischer figuur. In een Ethiopische versie van een Egyptische Alexanderroman (de roman dateert uit de vierde eeuw n.Chr., de Ethiopische variant uit de vijfde of zesde eeuw) wordt een heel bijzondere duik beschreven. Het was immers geen bittere noodzaak die Alexander de Grote, die in de vierde eeuw v.Chr. een groot deel van Azië had veroverd, ertoe dreef de diepzee in te gaan, maar zijn onbedwingbare zucht naar het verkennen van nieuwe horizonten. Wanneer de wereld veroverd aan zijn voeten ligt en hij niet weet welke uitdagingen hij nu nog moet aannemen, vraagt hij God hem te tonen waar zich de Oceaan bevindt die de hele wereld omspant en welke wateren daarin verborgen zijn. God verleent hem die gunst en belooft hem de wonderlijke wereld van de diepzee te tonen. Daarop maakt Alexander zich gereed. Hij rust een expeditie uit en vaart met zijn metgezellen naar de Oceaan. Op een plaats waar nog nooit eerder schepen hebben gevaren, neemt Alexander afscheid van zijn vrienden. Hij krijgt van God de laatste instructies en neemt plaats in een kooi, die met de huid van een ezel is versterkt en met kettingen en ringen wordt afgesloten. Hij beveelt zijn soldaten honderd dagen en nachten op hem te wachten. Is hij dan nog niet teruggekeerd, dan moeten ze zonder hem vertrekken. Vervolgens daalt hij af. Voor zijn ogen ontvouwt zich de pracht van een verstilde wereld. Wanneer hij zeventig dagen en nachten in de kooi heeft doorgebracht en van de ene in de andere verbazing is gevallen, geeft God aan de engel die toezicht houdt op de Oceaan opdracht om Alexander de mooiste wonderen te tonen. De engel leidt Alexander door de stromingen van de zee naar de grootste diepten. En daar in de diepzee wordt de man die de hele wereld heeft onderworpen, die van de meest exotische culturen heeft kennis genomen, sprakeloos van ontzag wanneer hij het ene na het andere zeegedrocht aan zich voorbij ziet trekken. Op de vraag van de engel of hij ooit zoiets indrukwekkends heeft gezien, antwoordt Alexander dat er niets fantastischer is dan de wonderen van God. Ten slotte vraagt de engel hem hoeveel dagen hij denkt dat er zijn verstreken sinds hij zijn soldaten heeft verlaten. Als Alexander antwoordt dat hij pas vier dagen weg is, maar dat het er wat hem betreft wel honderd mogen worden, vertelt de engel dat hij precies honderd dagen onder de zeespiegel heeft vertoefd en dat hij zich recht onder het schip van zijn makkers bevindt.

De diepzee als de sublimatie van de schepping van God, zo moest Alexander het zien en zo zag hij het ook. Zijn prestaties, hoe groot ook, vielen in het niet bij die van de almachtige heerser. En deemoedig boog Alexander het hoofd en bewees God de eer die hem toekwam.

Gilgamesj en de Ethiopische Alexander omspannen een tijdvak van ruim 2500 jaar waarin langs de kusten van de Middellandse Zee, de Perzische Golf en de Rode Zee veel werd gedoken. Dat gebeurde door gewone mensen, die risico's moesten nemen om als duiker in hun onderhoud te kunnen voorzien. Hun wereld leek in de verste verte niet op die van Gilgamesj en Alexander. Koningen en prinsen, aristocraten en anderen die zich op een goede positie in de maatschappij mochten verheugen, keken op hen neer. Ook intellectuelen: zij beschouwden de zee als een poel van verderf. Plato raadde de mensen zelfs aan om op ruime afstand van de zee te wonen, zodat kwalijke invloeden niet tot hen konden doordringen. De zee, zo vond Plato, en velen zegden het hem na, was er om naar te kijken, niet om op te varen, laat staan om in te duiken. Zelfs Odysseus, de onverschrokken sluwe man die toch voor geen kleintje vervaard was en die met een inderhaast gebouwd schip wind en golven trotseerde, heeft zich niet onder de zeespiegel gewaagd. Dat wil overigens niet zeggen dat de helden van Homerus onbekend waren met duiken. Uit enkele passages uit de *Ilias* blijkt dat ze goed op de hoogte waren van de manier waarop oester- en sponzenduikers te werk gingen. Homerus betrekt duikers (*kubistetères* of *arneutères*) in zijn beschrijving van het sterven van een krijger. Wanneer Patroclus, de boezemvriend van Achilles, een Trojaan dodelijk verwondt en de ongelukkige uit zijn wagen ziet vallen, roept hij uit:

> Niet te geloven, zo'n luchtacrobaat. Hij duikt of het niets is.
> Wat zou die man in de visrijke zee bij het zoeken naar oesters

niet voor ontelbare mensen voedsel bijeen kunnen
brengen,
telkens wanneer hij, ook in het onstuimige water, van
boord springt.
Zo, of het helemaal niets is, duikt hij omlaag van de
wagen.
Nee, wat waar is is waar; ook bij de Trojanen zijn duikers.
(Homerus, *Ilias* 16.745-750;
vertaling H.J. de Roy van Zuydewijn)

De associatie van 'duiken' met 'sterven' is niet zo vreemd, en niet alleen vanwege het hulpeloze van de vallende beweging van een stervende die aan een duiker doet denken. Iedereen wist dat het beroep van duiker gevaarlijk en zwaar was. Het werd op één lijn gezet met andere naargeestige en verachtelijke beroepen, zoals doodgraver, grafwachter en lijkenwasser. De risico's die parel- en sponzenduikers moesten nemen waren dan ook niet gering. Zonder moderne attributen als duikbril of zwemvinnen daalden ze, met stenen verzwaard, af naar diepten van meer dan twintig meter. De *Lex Rhodia*, de zeewet waarin nauwgezet het vindersloon van duikers vastgelegd was wanneer zij overboord geslagen lading boven water haalden, vermeldt zelfs diepten van bijna dertig meter. Uit de bepalingen blijkt dat het risico van duiken op grote diepten door de autoriteiten werd erkend:

Als goud of zilver of iets anders naar boven wordt gehaald van een diepte van acht vadems (ca. vijftien meter), zal de duiker een derde deel ontvangen; wanneer dat gebeurt van diepten van veertien vadems (ca. achtentwintig meter) mag de duiker vanwege het grote gevaar van de diepte de helft houden.

Ademnood zal de meest voorkomende doodsoorzaak zijn geweest. Duikers bleven soms wel drie minuten op de bodem om stukken spons of koraal af te steken en moesten dan zo snel

Wij-inscriptie van de vereniging van urinatores in Ostia

mogelijk zien boven te komen. Dat de veiligheidsgrenzen hierbij herhaaldelijk werden overschreden, zeker door koraalduikers, die het mooiste koraal op grote dieptes moesten zoeken, zal geen verbazing wekken. Maar wanneer duikers niet tijdens de uitoefening van hun beroep om het leven kwamen, zal hun geen lang en gezond leven beschoren zijn geweest. Diverse kwalen zullen hun deel zijn geweest: longaandoeningen, infecties aan de urinewegen en oor- en oogziektes. Vooral hun oren hadden het zwaar te verduren. Om te voorkomen dat hun trommelvliezen tijdens de snelle afdaling zouden knappen, hadden de duikers daar gaatjes in geprikt. Daardoor ontstond wel het gevaar dat er water in hun oren stroomde. Als remedie daartegen stopten ze stukjes spons in hun oren of deden ze vóór een duik olijfolie in hun mond en oren. Zo hoopten ze te voorkomen dat het zeewater via hun doorgeprikte trommelvliezen in de buis van Eustachius achter het oor terechtkwam. Het zal vaak zijn misgegaan en acute oorontstekingen zullen het duiken tijdelijk onmogelijk hebben gemaakt. Op langere termijn zal dit alles hebben geleid tot blijvende schade: bloedingen en doofheid.

Urinatores

In de laatste twee eeuwen van de Romeinse republiek nam het scheepvaartverkeer spectaculair toe. Tijdens de transporten ging er geregeld het een en ander mis: een heel schip zonk of goederen sloegen tijdens de overtocht of bij het laden en lossen overboord. De enigen die nog iets van de verloren lading konden terughalen waren duikers. Omdat zij ook werden ingezet bij het uitbaggeren van dichtgeslibde havens en het onklaar maken van vijandelijke schepen, was er grote vraag naar hun deskundigheid. Uit alle delen van het Romeinse rijk meldden ze zich in de grote havens van het Romeinse rijk, vooral in Ostia. In weerwil van hun grote betekenis voor de economie waren hun verdiensten echter laag. Gevarengeld bestond nog niet. Beroepsduikers behoorden tot de slechtst betaalde werknemers van Rome.

Als we afgaan op het merkwaardige Latijnse woord waarmee zij werden aangeduid, stonden ze bovendien in zeer lage achting. Hoewel de Romeinen neutrale woorden hadden voor 'duiken' en 'onder water gaan' (*demergi*, *submergi* en *inmergi*), duidden ze duikers aan met de term urinator, afgeleid van *urino(r)*. Hoe waren de Romeinen op deze naam gekomen? Dat is nog altijd een niet opgeloste kwestie. De traditionele interpretatie is dat urinator te maken heeft met het woord *urina* in zijn oorspronkelijke betekenis van water. Urinatores waren dus mensen die in het water werden ondergedompeld of mensen van wie 'het water afdroop'. Dichter bij de waarheid is mijns inziens de verklaring van John Peter Oleson, die urinator afleidt van urina in de betekenis van urine. Op grond van het gegeven dat duikers op grote diepte door de druk van de waterkolom de neiging hebben om spontaan te urineren – *diuresis* heet dat in medische vaktaal –, zouden ze urinatores, urineerders, zijn genoemd. Hoewel deze kwaal niet ernstig is – boven water hebben ze er geen last van –, kregen de duikers toch het etiket urinatores opgeplakt. Geleidelijk zouden urino(r) en urinator technische termen zijn geworden die de oorspronkelijke woorden voor duiken en duikers verdrongen. Uiteindelijk gingen de duikers zich ook zelf urinatores noemen, want er is in Ostia een inscriptie gevonden waarop te lezen staat dat duikers zich verenigd hadden in een *corpus urinatorum*, een vakvereniging van duikers.

De verbinding met urina in de betekenis van urine is zeer aannemelijk, alleen is de fysiologische uitleg naar mijn mening niet juist. Volgen we Oleson, dan moeten we aannemen dat urinator steeds meer een technische term werd. In dat geval blijft het de vraag waarom niet andere termen als *in-*, *de-* en *submergi* in gebruik waren gebleven die meer het duiken zelf dan de bijverschijnselen waar de buitenstaanders nauwelijks weet van hadden, benadrukten. Deze woorden verdwenen naar de achtergrond om plaats te maken voor urino(r) en urinator. De reden daarvoor is, denk ik, dat de mensen in Rome en Ostia, waar het aantal duikers almaar groeide, permanent werden geconfronteerd met de lichamelijke ongemakken van duikers.

De antieke bronnen doen daarover geen mededelingen, maar op grond van een verslag van een Franse ontdekkingsreiziger uit het begin van de twintigste eeuw, waarin deze zijn belevenissen met parelduikers in de Perzische Golf te boek heeft gesteld, meen ik dat er alle reden is om het gebruik van het woord urinator in zijn betekenis van 'urineerder' op een andere manier te verklaren. De ontdekkingsreiziger om wie het gaat is Henry de Monfreid en zijn boek heeft als titel *Les secrets de la Mer Rouge*. De Monfreid bracht geruime tijd door op het zogeheten Pareleiland. Hij sloot vriendschap met de bewoners en nam vele malen in zijn boot duikers mee naar de parelgronden. Tijdens die tochten werd hij telkens weer getroffen door een verschrikkelijke stank wanneer de duikers aan boord waren. De Monfreid schrijft daarover het volgende:

> Onder de smerige luchtjes overheerst een urinelucht of, beter gezegd, een stank van pis. Ik vraag me af of de jongen aan boord of de jonge Soedanees misschien zijn behoefte 's nachts in het schip doet, maar Ahmed Moussa, die geruime tijd met de duikers heeft gevaren, vertelt me dat ze lijden aan incontinentie van de urinewegen. Al drie van de jongens die nog maar net met duiken zijn begonnen lijden aan deze aandoening. Het is een ziekte die duikers van nog geen dertig jaar oplopen wanneer ze, verzwaard met een grote steen, naar diepten van vijftien tot achttien meter afdalen. Overdag ruikt men het niet zo erg, omdat ze dan constant in het water zijn. Bovendien openbaart de kwaal zich in het begin alleen tijdens de nacht ... Nóg een aandoening voegt zich bij de lange reeks ziekten waaraan ze lijden om aan de zee de kostbare colliers te onttrekken die in de toekomst zachtjes zullen rusten op de geparfumeerde huid van een vrouwelijke hals.

Accepteren we de uitleg van De Monfreid en passen we die toe op de duikers uit de klassieke oudheid, dan krijgt urinator een andere betekenis. Het woord dat ooit door buitenstaanders was bedacht is in deze interpretatie geen technische term meer maar een scheldwoord voor een beroepsgroep op grond van een lichamelijke afwijking die het rechtstreekse gevolg is van het werk dat wordt verricht. Hoe groter het aantal duikers werd, des temeer raakte de term urinator ingeburgerd. Ten slotte wist niemand meer beter dan dat duiken en urino(r) onlosmakelijk met elkaar verbonden waren. Ook de duikers zelf accepteerden de term uiteindelijk. En als iemand dreigde te vergeten waarom duikers urinatores werden genoemd, dan was een ontmoeting met een urinator voldoende om hem er opnieuw van te doordringen waarom deze term ooit was bedacht. En of de urinatores nu belangrijk waren voor de haven van Ostia, het kloppend hart van de Romeinse economie, voor buitenstaanders waren het urineerders. Die stonken, en daar liep je met een wijde boog omheen.

De verloren schepen van Nemi

Het Nemi-meer, zo'n dertig kilometer zuidoostelijk van Rome, biedt toeristen een lieflijke aanblik. Een kleine waterplas omgeven door steile rotsen en diepgroene bossen. Een ideaal oord voor een korte rustpauze tijdens een verblijf in het jachtige Rome. Vlak voor de Tweede Wereldoorlog konden bezoekers zich vergapen aan een bijzondere attractie die het meertje over de hele wereld bekend maakte: twee reusachtige schepen in een speciaal daarvoor gebouwd museum. Ze waren met veel inspanning drooggelegd, geconserveerd en werden in een grote zaal voor het publiek tentoongesteld. Maar die tijd is helaas voorbij. Het was op 31 mei 2004 precies zestig jaar geleden dat die twee schepen door de oorlogsmachine van de Duitsers werden vernield.

Al in de late oudheid en vroege middeleeuwen deden de meest fantastische verhalen de ronde over reusachtige schepen op de bodem van dat meer. Vissers vonden stukken mozaïek en marmer en vroegen zich af hoe die in het meertje terecht waren gekomen. Veelvuldig werd in dit verband de naam genoemd van Caligula, de aan vreemde grillen zo rijke keizer die het rijk van 37 tot 41 n.Chr. bestuurde. Van hem was bekend dat hij een voorliefde had voor alles wat groot en imposant was, ook voor protserige, luxueuze pronkschepen. De Romeinse biograaf Suetonius vertelt dat Caligula ooit in Campanië gweldig grote galeien had laten bouwen die met hun luxe inrichting geen enkel praktisch doel dienden en er alleen maar waren voor de show. Zekerheid dat er in het Nemi-meer eveneens een of meer van dat soort schepen lagen, kwam er pas in 1446, toen de architect Leon Battista Alberti, een vooraanstaande geleerde in die dagen, parelduikers uit Genua naar de bodem liet afdalen. Op hun aanwijzingen bouwde hij een soort platform en een hijskraan. Met behulp van grote haken probeerde hij een van de schepen naar boven te halen, maar zijn inspanningen haalden niets uit. In 1535 deed een zekere Francesco Demarchi een nieuwe poging om meer van de schepen te weten te komen. Met iets dat op een duikerhelm geleken moet hebben (het materiaal was van hout en het kijkglas van kristal) daalde hij af naar de bodem. Met eigen ogen kon hij vaststellen dat in ieder geval een van de schepen goed geconserveerd was. Hij wist enkele brokstukken mee naar boven te nemen. Drie eeuwen later, in 1827, gebruikte Annesio Fusconi een door hem zelf ontworpen duikerklok, waarin plaats was voor acht personen. Als bewijs dat op de bodem heel bijzondere schepen moesten liggen, werden stukken hout, marmer, mozaïekdelen en zuilfragmenten naar boven gehaald. Tot een lichting van de schepen kwam het nog altijd niet. Dat lukte ook niet aan het einde van de negentiende eeuw. Wederom bestond de oogst uit allerlei brokstukken, die de nieuwsgierigheid alleen nog maar meer prikkelden.

Het zou tot 1929 duren voordat het meertje zijn geheimen prijsgaf. Mussolini, die de schepen beschouwde als een onvervreemdbaar deel van Italië's culturele erfenis, nam geen halve maatregelen om het raadsel te ontsluieren. Hij stelde zoveel geld en mankracht ter beschikking dat het plan om een deel van het meertje droog te leggen haalbaar werd. Met dat gigantische karwei werd in het voorjaar van 1928 begonnen. Op 3 september van het volgende jaar werd het eerste schip, dat niet al te ver uit de oever lag op een diepte van zeven tot twaalf meter, zichtbaar. Op 30 januari van 1930 werd ook het tweede schip, dat ruim tien meter dieper lag, blootgelegd. In 1932 was het hele project voltooid. Beide schepen werden tijdelijk ondergebracht in een loods. Vier jaar later kregen ze een definitief onderkomen in een speciaal daarvoor gebouwd museum.

Een van de Nemi-schepen, kort nadat het boven water was gekomen

De wetenschappelijke wereld toonde onmiddellijk grote belangstelling. Tot dan hadden scheepsarcheologen alleen vrachtschepen die bij landopgravingen waren aangetroffen, kunnen bestuderen, maar in tegenstelling tot de Nemi-schepen verkeerden die in slechte conditie. Nu was goed te zien hoe de antieke scheepsbouwers te werk waren gegaan. Eerst waren de huidgangen met talrijke pen- en gatverbindingen aan elkaar verbonden, vervolgens was er een sterk raamwerk van spanten aangebracht en was de romp tot de waterlijn bedekt met brons. Zelfs delen van de stuurriemen waren bewaard gebleven. De archeologen constateerden dat de voor- en achtersteven niet wezenlijk verschilden van die van andere Romeinse schepen, maar dat de verhouding tussen lengte en breedte heel opvallend was. Het grootste van de twee Nemi-schepen had een lengte van ruim 71 meter en een breedte van 20 meter, het kleinste was 65 meter lang en meer dan 23 meter breed. Ze waren dan ook niet gebouwd om op zee te varen en vracht te vervoeren, maar dienden een ander doel, zoals bleek uit de enorme brokken marmer en stukken mozaïek die werden aangetroffen.

Natuurlijk werd ook de vraag weer actueel of Caligula het initiatief voor de bouw van deze schepen had genomen. Aanvankelijk dachten de geleerden inderdaad in zijn richting. Caligula zou op de schepen grote eet- en drinkgelagen en andere orgieën in een romantische omgeving hebben georganiseerd. Maar deze opvatting kwam steeds meer onder vuur te liggen. Men begon zich af te vragen of de ongewone locatie in het Nemi-meer, in de buurt waarvan ooit de godin Diana werd vereerd, er iets mee te maken heeft. De marmeren zuilfragmenten en de mozaïekfragmenten moeten volgens een aantal geleerden in verband worden gebracht met meer ingetogen ceremonieën. De restanten van de opbouw op de schepen zouden deel hebben uitgemaakt van kapelletjes die gewijd waren aan Diana en waar men zich kon terugtrekken om te mediteren.

Zoals gezegd, de beide schepen zijn er niet meer. Op 28 mei van het jaar 1944 nam een Duits artilleriebataljon positie in tegenover het museum in een ultieme poging de troepen van de geallieerden tegen te houden. Het personeel kreeg opdracht het museum te verlaten. In de dagen daarop werd Nemi en omgeving herhaaldelijk onder vuur genomen. Het museum kreeg enkele voltreffers te verduren, maar de schepen werden wonder boven wonder niet geraakt. Maar in de nacht van 31 mei zagen de bewoners in de omgeving alsnog hoge vlammen opschieten uit de ramen van het museum. Twee dagen later verlieten de Duitsers hun stellingen. Toen de Italiaanse beambten op 3 juni in het museum terugkeerden, troffen ze een puinhoop aan. De gefrustreerde Duitse soldaten hadden het museum doelbewust in brand gestoken. Al het werk van de voorgaande jaren was in één klap vernietigd. Van de twee schepen was weinig meer over dan een paar verkoolde balken, de rest was as. Zo vonden twee schepen, die eeuwenlang de menselijke nieuwsgierigheid hadden gewekt een tragisch einde.

Nieuwe Romeinen

Het Romeinse rijk is niet meer, maar de herinnering eraan leeft voort. Talrijke geschriften van antieke auteurs die het rijk van vele kanten hebben belicht, hebben ervoor gezorgd dat opkomst, bloei en neergang van het *imperium Romanum* verankerd liggen in het collectieve geheugen. We lezen dat het rijk niet ineens ten onder is gegaan, veroverd door een grote mogendheid, maar als het ware bezweek onder zijn eigen gewicht en verkruimelde als gevolg van invallen van Germaanse volkeren. Het viel uiteen in een aantal zelfstandige rijkjes, de voorlopers van de middeleeuwse staten. Het idee van het grote, machtige rijk is niet met die versnippering verdwenen, het heeft de tijd getrotseerd, gevangen in een diepe sluimer, waaruit het zo nu en dan ruw wordt gewekt, vaak door geleerden die parallellen trekken tussen het heden en verleden, soms door toedoen van een alleenheerser die zich een macht toedicht die vergelijkbaar is met die van de Romeinse keizers.

In het verre verleden hadden heersers het wat dat betreft gemakkelijker dan in de moderne tijd, want een regeringsleider die zich nu de allures van een Romeinse keizer aanmeet, loopt het risico snel van zijn voetstuk te worden gestoten, omdat mondige onderdanen niets van een Romeins aandoende machtspolitiek willen weten. Voor sommige eerzuchtige en op macht en aanzien beluste leiders is dat in de twintigste eeuw echter geen belemmering geweest om zich aan het volk te presenteren op een manier die een Romeinse keizer niet zou hebben misstaan.

Het sprekendste voorbeeld van een neo-Romeinse keizer is

natuurlijk de Italiaanse *Duce* Benito Mussolini in de jaren twintig en dertig van de vorige eeuw. Hij liet zich niet alleen inspireren door de status, macht en invloed van de Romeinse keizers, hij identificeerde zich ook met hen. Zijn verheerlijking kwam voort uit de Romanità-gedachte, de idee dat het oude Romeinse imperium weliswaar was vergaan, maar ieder moment kon herleven in de vorm van een geestelijk erfgoed, als een voorbeeld voor heersers die een rijk wilden inrichten dat was geënt op het *imperium Romanum*. In Mussolini's nieuwe ideologie moest de uitbundige bewondering van de fascisten voor jeugd, schoonheid en moderniteit, tot uitdrukking komend in een nieuw Italië, worden gecombineerd met de glorie van het oude Rome. Zo hoopte hij zowel de oude intellectuelen die de grootheid van het oude Rome idealiseerden als het gewone volk voor zich te winnen.

De eerste Romeinse keizer, Augustus (27 v.Chr.-14 n.Chr.), was Mussolini's voorbeeld. Augustus had in zijn ruim eenenveertig jaar durende regeerperiode alle tijd gehad om zijn ideologie van een nieuwe regeringsstijl uit te dragen en uitgebreid propaganda te maken voor zijn beleid. Zijn trotse leuze dat er een einde was gekomen aan de burgeroorlogen, dat de morele waarden waren hersteld en dat rust en voorspoed in de plaats waren gekomen van chaos en armoede, sprak Mussolini aan. Hij wilde net als zijn idool de grondlegger worden van een nieuwe staat en de architect van het moderne Rome. Dat idee hield hem al bezig sinds de Eerste Wereldoorlog. Kort voor zijn mars op Rome, in oktober 1922, had hij zijn denkbeelden over de nieuwe stad als volgt onder woorden gebracht:

> Rome is ons vertrekpunt en ons referentiepunt. De stad is ons symbool of, zo je wilt, onze mythe. We dromen van een Romeins Italië, dat wil zeggen van een land dat wijs, sterk, gedisciplineerd en keizerlijk is. Veel van wat ooit de onsterfelijke geest van Rome was komt nu opnieuw op in het fascisme. De *fasces* ('roedebundels') zijn Romeins, onze strijd-

organisatie is Romeins, onze trots en onze moed zijn Romeins: *Civis Romanus sum* ('Ik ben Romeins burger'). Het is nu zaak dat we de geschiedenis van morgen, de geschiedenis die we zo nadrukkelijk willen schrijven, niet een tegenstelling of een parodie maken van de geschiedenis van gisteren. De Romeinen waren niet alleen formidabele strijders, maar ook voortreffelijke bouwers die hun tijd konden uitdagen, wat ze ook hebben gedaan.

Italië is voor de eerste keer in vijftien eeuwen weer Romeins geweest, in zijn oorlogen en overwinningen. Nu moet het ook weer Romeins worden in vrede. En deze vernieuwde en herleefde Romanità is gebaseerd op deze twee pijlers: discipline en arbeid.

Ruim twintig jaar heeft Mussolini kunnen werken aan zijn nieuwe Rome. Zijn respect voor het oude Romeinse verleden ging hand in hand met zijn voornemen om net als zijn grote inspiratiebron Augustus de stad een ander aanzien te geven. Augustus' beroemde woorden: 'ik trof een stad van baksteen aan en liet een stad van marmer achter' werden opnieuw bewaarheid in het monumentale bouwprogramma van Mussolini. De aanleg van de Via dell'Impero en andere hoofdstraten, de aanleg van het forum van Mussolini in het noorden van de stad en de openbreking van hele wijken lieten er geen twijfel over bestaan dat de *Duce* de propaganda van Augustus goed had begrepen. Hij voelde zich ook persoonlijk tot Augustus aangetrokken, en dan vooral tot de oude Romeinse heroïek, waarvoor zijn inspiratiebron zoveel belangstelling had gehad. Een van zijn favoriete beelden was de 'Augustus' van Prima Porta, een enorm beeld van de keizer in de uitdossing van een zegevierende Romeinse veldheer, een toonbeeld van zijn onbegrensde macht. Mussolini's verlangen naar het oude Romeinse heldendom heeft hem maar kortstondig op de been gehouden. Het verzet tegen hem werd steeds sterker en in 1943 moest hij het veld ruimen. Zijn definitieve ondergang in 1945 maakte een onverbiddelijk einde aan zijn idealen die op de herleving van de oud-Romeinse waarden gebaseerd waren. De Romanità-gedachte verdween naar de achtergrond en is nu voornamelijk voer voor classici en historici.

Het gevaar dat het Romeinse keizerschap nog eens in eenzelfde vorm geïdealiseerd zal worden is klein, omdat er weinig keizers, koningen of andere heersers zijn die zich op de manier van Mussolini in het Romeinse verleden kunnen of willen inleven. Maar soms kunnen de gelijkenissen tussen een modern rijk en het *Imperium Romanum* zo treffend zijn dat historici, politicologen en sociologen zich geroepen voelen er uitgebreid bij stil te staan. Dat geldt zeker voor de Verenigde Staten van Amerika. Er is de afgelopen jaren een enorme stroom publicaties verschenen over opvallende overeenkomsten tussen de Verenigde Staten en het oude Romeinse rijk. De analogie tussen de privatisering en corruptie in Amerika en het patronagesysteem in Rome, de opname van grote aantallen immigranten in beide rijken, de hang naar decadentie, het is de laatste jaren allemaal vanuit verschillende invalshoeken belicht. Maar de meeste aandacht is uitgegaan naar de militaire macht van Rome en de lessen die daaruit voor het moderne Amerika getrokken kunnen worden.

Historici die zich op de vergelijking van de twee grootste wereldmachten uit de geschiedenis hebben geworpen gewagen steeds van de opvallende gelijkenis tussen het uiterlijke vertoon van een Romeinse keizer en de president van Amerika. Iemand die dat heel mooi doet is Cullen Murphy. In *Are We Rome? The Fall of an Empire and the Fate of America* beschrijft hij de aankomst van president George W. Bush op Shannon Airport in Ierland, enkele jaren geleden. Op de startbaan zag hij de twee jumbojets van de Amerikaanse president, omgeven door een versperring van prikkeldraad. Luchtdoelraketten en Amerikaanse militairen in gevechtstenue moesten de veiligheid van de machtigste man ter wereld garanderen. Het geheel deed hem denken aan

Augustus van Prima Porta

een Romeinse keizer op rondreis in zijn rijk. Speciale beambten hadden zijn reis voorbereid en onderweg werd hij permanent bewaakt door zijn speciale lijfwachten en legioensoldaten.

Bij de stichting van de Verenigde Staten had het er niet naar uitgezien dat er ooit een tijd zou komen dat Amerikaanse presidenten zich met de allure van een Romeinse keizer zouden presenteren. De *Founding Fathers* hadden zich in 1776 juist laten inspireren door de staatsinrichting van de Romeinse republiek. Ze wilden een politiek systeem dat radicaal anders was dan de zo gehate absolute Britse monarchie. De gemengde constitutie van Rome, waarin de consuls werden gecontroleerd door de senaat en de senaat op haar beurt door de volksvergaderingen, was het model dat de stichters van de nieuwe staat voor ogen stond.

De Founding Fathers kenden hun klassieken. Ze lazen Livius, Sallustius en Tacitus en wisten dat de Romeinse republiek was gegrondvest op deugden als moed, standvastigheid, trouw en eerlijkheid, en ze stelden zich de personen ten voorbeeld die deze deugden tijdens hun leven het opvallendst hadden uitgedragen. Toonaangevende Romeinse politici en legeraanvoerders als Scipio Africanus, Metellus en Decius Mus doken geregeld op in de briefwisselingen van de politici die de nieuwe Amerikaanse republiek vorm moesten geven. Maar geen figuur sprak hen zo aan als de legendarische Cincinnatus. Door de wijze waarop hij zijn verantwoordelijkheid had genomen werd hij voor hen een rolmodel. In de vijfde eeuw v.Chr. was Cincinnatus, die een klein stukje grond van een paar hectaren bezat, door senatoren van zijn land geplukt om voor zes maanden de leiding in de oorlog tegen Italische stammen op zich te nemen. In enkele dagen behaalde hij een complete overwinning, nam vervolgens gepassioneerd afscheid van zijn soldaten en keerde terug naar zijn boerderij om zijn gewone leven weer op te pakken. De bewondering van George Washington voor deze man was zo groot dat hij het een eer vond te worden aangesproken als Cincinnatus. Enkele decennia later beeldde de beeldhouwer Horatio Greenough Washington uit als Cincinnatus, die het zwaard teruggeeft aan het Romeinse volk.

Eigengereide politici als Caesar en Augustus, die vooral hun persoonlijke belangen hadden gediend en verantwoordelijk waren geweest voor de ondergang van de Romeinse republiek, werden door de Founding Fathers gelaakt, terwijl hun politieke tegenstanders, die tot hun dood hadden gestreden voor het behoud van de republiek, werden geprezen en verheerlijkt. De redenaar/politicus Cicero, die tijdens de proscripties van Marcus Antonius vanwege zijn republikeinse ideeën was gedood, en senator Cato Uticensis, die de schande van de ondergang van de republiek onder Caesar niet had kunnen verdragen en zich zelf het leven had benomen, werden op een voetstuk geplaatst.

De Founding Fathers wisten dat de geroemde Romeinse republiek ook zijn minpunten had. Het was hun niet ontgaan dat in de derde en tweede eeuw v.Chr. de landen rond de Middellandse Zee goeddeels in Romeinse handen waren gekomen en dat de overwonnen volkeren door Romeinse legers waren uitgemoord of door gouverneurs waren onderdrukt en door middel van hoge belastingen uitgeknepen. Tegen elke prijs wilden ze voorkomen dat Amerika even imperialistisch zou worden. De kans daarop achtten ze overigens niet zo groot, omdat Amerika als een voormalige kolonie van The British Empire zelf de gevolgen van knechting had ondervonden en niet gauw tot eenzelfde beleid zou overgaan.

Maar de tijden zijn veranderd in Amerika. Presidenten van dat machtige land lijken geen boodschap meer te hebben aan de ooit zo diep bewonderde idealen die de Romeinse republiek groot maakten, ze spiegelen zich liever aan de manier waarop de Romeinse keizers volk en leger tegemoet traden. Er zijn opvallende overeenkomsten tussen de machtspolitiek van het keizerlijke Rome en van het moderne Amerika, al realiseer ik mij terdege dat er ook fundamentele verschillen zijn, omdat de presidenten opereren in een regeringssysteem dat is gebaseerd op vrije verkiezingen, terwijl het Romeinse imperialisme, dat

George Washington afgebeeld als een klassieke ‘Cincinnatus’

in de republiek in gang was gezet onder een aristocratische senaat, door de keizers persoonlijk werd vormgegeven en uitgedragen. De vergelijking gaat ook mank omdat de Romeinen altijd een absolute vrijheid van handelen hebben gehad. Zij konden gebied veroveren zonder daarvoor door een volkerenbond berispt te worden; de leiders van moderne staten weten zich voortdurend in de gaten gehouden door de Verenigde Naties. Ondanks deze verschillen zijn de grondgedachten die aan de twee vormen van machtsuitbreiding ten grondslag liggen niet wezenlijk anders: net als de oude Romeinse keizers beschouwen Amerikaanse presidenten zich als wereldleiders en menen ze op eigen initiatief de voorwaarden voor een rechtvaardige wereldorde te kunnen dicteren. Zij zijn ervan overtuigd dat zij de sleutel tot een geordende wereld in handen hebben. Niet toevallig bevindt zich in de westelijke vleugel van het Witte Huis een plaquette met daarop de woorden van president Theodore Roosevelt: 'Agressieve strijd voor rechtvaardigheid is de nobelste sport ter wereld.'

De overeenkomsten gaan nog verder. Zowel bij de Romeinen als bij de Amerikanen speelt religie een belangrijke rol. De Romeinen hebben zich altijd laten voorstaan op de steun van de onsterfelijke goden, die hun de wereldheerschappij hadden voorspeld. De keizers meenden dat de sympathie van de goden inhield dat zij het gelijk aan hun zijde hadden. Amerikaanse presidenten houden er gelijksoortige opvattingen op na. In de strijd tussen 'goed en kwaad', zoals George Bush en zijn neoconservatieve geestverwanten de oorlogen in Irak en Afghanistan noemen, is God niet neutraal, maar staat aan hun kant. 'God bless America' is niet voor niets vaak het slotakkoord in (oorlogs)redevoeringen van de president of van andere hoogwaardigheidsbekleders. Zij roepen God aan om de Amerikanen bij te staan, maar tegelijkertijd is het een rechtvaardiging van hun daden: zij handelen immers uit naam van de Allerhoogste, die hen daarvoor beloont. Het doet voor hen blijkbaar niet terzake dat deze gedachte in landen met een andere godsdienst dan de christelijke niet wordt geaccepteerd, en dat de machthebbers daar zich eveneens op een almachtige God beroepen. Hun God is de enig ware God en in zijn naam voeren zij een gerechtvaardigde strijd voor het goede.

De Romeinen hebben in officiële verklaringen altijd beweerd dat ze slechts in actie kwamen als tegenstanders hen hadden uitgedaagd. Ze hielden de schijn op dat ze rechtvaardige oorlogen voerden, hoewel ze in hun hart moeten hebben geweten dat de waarheid vaak anders was, dat een onbedwingbaar verlangen naar eer, roem en de wereldheerschappij een dringender motief was dan de bescherming van de bondgenoten. Amerikaanse presidenten hebben veelvuldig eenzelfde tactiek gevolgd. Zij benadrukten hun goede bedoelingen en zeiden op te komen voor bondgenoten die door boosaardige vijanden, recentelijk door de 'as van het kwaad', waren uitgedaagd. Als de vijanden niet ontvankelijk bleken voor de Amerikaanse interpretatie van 'rechtvaardigheid', stuurden ze een legermacht naar de bedreigde regio om de problemen voor eens en altijd uit de wereld te helpen. De oorlogen in Afghanistan en Irak staan in een lange traditie van gewapende Amerikaanse interventies, die loopt vanaf het begin van de twintigste eeuw, zowel dicht bij huis in Haïti, Mexico, Cuba en Grenada als in de verre buitenwereld van Vietnam. De constante factor was telkens de gedachte dat alleen de Amerikanen de capaciteiten bezitten om politieke en economische vrijheid te brengen, omdat zij beschikken over democratische grondbeginselen die andere volken ontberen.

Verslagen tegenstanders kregen van de Romeinen te horen dat ze blij moesten zijn dat ze werden onderworpen. Dankzij hen was de geordende geciviliseerde wereld binnen bereik gekomen, zonder hun aanwezigheid zou er alleen maar chaos, wanorde en burgeroorlog zijn. De onderworpenen dachten daar vaak anders over en kwamen in verzet, maar die opstanden werden met harde hand neergeslagen, waarna de onderworpenen alsnog in het gareel werden gebracht. De Amerikaanse machthebbers houden er een gelijksoortige redenering op na en stellen dat hun bemoeienis met interne aangelegenheden van andere staten voortkomt uit de opdracht die ze zichzelf hebben gesteld, namelijk om politiek onderontwikkelde schurkenstaten te bevrijden van tirannen en er democratieën te vestigen. Ze beweren dat ze oorlog voeren om vrede en vrijheid te brengen, ze noemen zichzelf een *civilizing power*, ook als het evident is dat handhaving of versterking van de eigen dominante positie een minstens zo zwaarwegend motief is.

De Romeinen hebben de woorden *si vis pacem, para bellum* ('als je vrede wilt, bereid je dan voor op oorlog') als leidraad genomen voor hun imperialistische politiek. Het zou ook de leuze kunnen zijn waarmee de Verenigde Staten hun buitenlands beleid rechtvaardigen. Omdat ze een ongeëvenaarde militaire supermacht zijn, menen de Amerikanen eisen te kunnen stellen waaraan op straffe van oorlog moet worden voldoen. De *pax Americana* doet een beetje denken aan de *pax Romana*: de sterkste bepaalt de agenda. Een staat die het waagt zich te verzetten tegen de Amerikaanse interpretatie van 'vrede' roept het onheil over zich af. Bondgenoten die niet in de pas lopen en protesteren tegen de voorwaarden van de door de Amerikanen gedicteerde vrede, lopen het risico hun status van bevriende mogendheid te verliezen.

De ene president is wat stelliger in zijn uitspraken dan de ander. President George W. Bush staat er in ieder geval om bekend dat hij geen gelegenheid voorbij laat gaan om te verkondigen dat hij de leider is van een wereldmacht, die nooit zal toestaan dat anderen het gezag van de Amerikanen kunnen ondermijnen. Op 21 mei 2003 karakteriseerde hij voor een gehoor van soldaten van de Coast Guard Academy zijn land als volgt:

> Omdat Amerika van vrede houdt, zal Amerika zich altijd inspannen en offers brengen voor de verspreiding van de vrijheid. De opmars van de vrijheid is meer dan het louter nastreven van een belang. Het is een roeping waaraan we

> gehoor geven. [...] Omdat we een volk zijn dat de burgerrechten is toegedaan, voelen we ons geroepen de mensenrechten van anderen te definiëren. Wij zijn de natie die continenten en concentratiekampen bevrijdde. Wij zijn de natie van het Marshallplan, de luchtbrug op Berlijn en het Vredeskorps. Wij zijn de natie die een einde maakte aan de onderdrukking van vrouwen in Afghanistan, en wij zijn de natie die de martelkamers in Irak dichtgooide. [...] Amerika streeft er niet naar de grenzen van zijn grondgebied uit te breiden, maar het rijk van de vrijheid.

Misschien had Bush de bedoelingen van Amerika nog scherper willen formuleren en, als een Romeinse keizer, zijn eigen rol in de vormgeving van het beleid nog duidelijker willen aangeven. Maar hij heeft niet alleen te maken met adviseurs die een mondiale hegemonie verkiezen boven een multilaterale samenwerking en hem in woord en daad steunen in zijn streven de kracht van Amerika te tonen. Hij moet ook luisteren naar gematigde politici in eigen land die een wereldorde bepleiten waarin ook de bondgenoten een rol spelen in de strijd tegen de onzichtbare vijand van het terrorisme. De bijna Romeins klinkende woorden van Bush: 'Misschien komt er een tijd dat alleen wij nog over zijn. Dat vind ik best. Wij zijn Amerika', doen in elk geval vermoeden dat de president zich niet gemakkelijk de wet zal laten voorschrijven, ook al zwelt zowel in Europa als in eigen land de kritiek op zijn buitenlands beleid aan.

Romeinse leiders uit de late republiek en de vroege keizertijd hadden de vrijheid om te zeggen en te doen wat ze wilden, zij hoefden niet te dreigen met ontwapening van tegenstanders, ze ontwapenden hen gewoon. Protesten van overwonnen volkeren konden ze negeren. Amerikaanse regeringsleiders hebben het wat dat betreft veel moeilijker. Bush heeft heel lang een sterk moraliserende retoriek in binnen- en buitenland moeten toepassen, voordat hij Saddam Hussein kon aanvallen. Toen hij de Iraakse tiran had uitgeschakeld, werd hij niet alleen geconfronteerd met een onvoorziene guerrilla-oorlog, maar kreeg hij ook nog eens te maken met kritiek van de Verenigde Naties, die hem op 13 februari 2003 verleidde tot de opmerkelijke uitspraak: 'De Verenigde Naties zal in de geschiedenis verdwijnen als een inefficiënte, irrelevante organisatie, een praatclub.'

President Bush lijkt met zijn gedrag ook ongewild het verleden van een bepaalde Romeinse keizer op te roepen. Hij zal niet blij zijn geweest met de opmerkingen die een in zijn buitenlands beleid teleurgestelde diplomaat in zijn ontslagbrief aan minister van Buitenlandse Zaken Colin Powell opnam:

> Waarom vergoelijkt onze president de door deze regering zo aangemoedigde snoevende en minachtende benadering van onze vrienden en bondgenoten? Is *oderint dum metuant* werkelijk ons motto geworden?

De woorden *oderint dum metuant* ('laten ze mij maar haten, als ze mij maar vrezen') brengen Bush in verband met de waanzinnige Romeinse keizer Caligula (37-41), die deze leuze als richtsnoer hanteerde bij het bepalen van zijn politiek tegenover iedereen die het niet met hem eens was. Dat de ontgoochelde diplomaat juist deze woorden gebruikte om het beleid van zijn president te karakteriseren betekent niet dat hij Bush als een tweede Caligula wilde betitelen, wel dat deze zich in zijn ogen in hoog tempo had vervreemd van veel andersdenkende Amerikanen en zich in een gevaarlijk isolement had geplaatst.

Ondergang?

De Romeinse keizers zijn inmiddels geschiedenis geworden, de Amerikaanse presidenten staan in een nog levende traditie. Het ziet er immers niet naar uit dat het Amerika op heel korte termijn zal vergaan als het Romeinse rijk, al zijn er genoeg critici van George W. Bush die beweren dat hij met zijn oorlogszuchtige retoriek en bijna grenzeloze begrotingstekorten het land moreel en financieel naar de afgrond leidt. Toen hij de regeringsverantwoordelijkheid overnam van zijn voorganger Bill Clinton was er nog een begrotingsoverschot van enkele honderden miljarden dollars, in zijn twee ambtsperioden heeft Bush met de uitputtende oorlogen in Afghanistan en Irak gezorgd voor torenhoge schulden die vroeg of laat de economie van Amerika zullen ondermijnen. Het is niet te verwachten dat hij dit tekort vóór het einde van zijn tweede ambtstermijn nog zal wegwerken, daarvoor beheersen de internationale politiek, de strijd tegen het terrorisme en zijn verlangen de Amerikaanse hegemonie nog verder uit te dragen te zeer zijn agenda.

Over ruim een jaar zal ook hij het Witte Huis moeten verlaten en een nieuwe president zal het begrotingstekort moeten aanpakken. Misschien kan hij (of zij) de lessen van de Romeinse keizer Tiberius (14-37) ter harte nemen. Deze opvolger van de eerste keizer Augustus was niet geliefd bij zijn tijdgenoten en ook moderne historici hebben zich niet al te rooskleurig over hem uitgelaten. Zijn sombere, naar depressies neigende karakter heeft velen van hem vervreemd, en zijn seksuele uitspattingen op Capri hebben zijn reputatie ook al geen goed gedaan. Maar in zijn buitenlandse beleid heeft hij verstandige beslissingen genomen. In een tijd waarin gebiedsuitbreiding, oorlogvoering en persoonlijke heldenmoed populair waren, koos hij voor een andere politiek en zag af van veroveringen. Hij trok de troepen terug uit het vrije Germanië en knoopte onderhandelingen aan met de verdeelde Germaanse stammen. Dit defensieve beleid kwam niet voort uit zwakte of laksheid. Op grond van zijn ervaringen als generaal in Germanië wist Tiberius dat een offensieve politiek aan de Rijn, de Donau en de Eufraat veel mankracht vereiste. Er zouden nieuwe legioenen gelicht moeten worden en hij zou andere moeten overplaatsen. En het resultaat van al die inspanningen moest nog maar worden afgewacht. Tiberius, een zuinige man die op de staatsfinanciën lette, koos voor een terughoudend beleid. Dat hij zichzelf zodoende de mogelijkheid ontnam om met nieuwe overwinningen zijn imago meer glans te geven, deerde hem niet. Tiberius was een van de weinige keizers die geen behoefte had aan eerbewijzen, zelfs niet aan triomftochten. Mede door de verminderde militaire uitgaven kon hij zich er aan het einde van zijn regering op beroepen dat de staatskas twintig keer zo ruim gevuld was als bij zijn aantreden, drieëntwintig jaar eerder. Zijn weldoordachte buitenlandse beleid heeft sterk bijgedragen aan de stabiliteit van het rijk.

Hoe we ook over Tiberius oordelen, voor zijn beslissing om af te zien van geldverslindende oorlogen en gewapende interventies was moed nodig. Moed die ook toekomstige Amerikaanse presidenten nodig zullen hebben in hun buitenlandse politiek, als ze niet in dezelfde situatie terecht willen komen als de Romeinse keizers van de derde eeuw. Zij werden geconfronteerd met grote militaire en financiële problemen, mede als gevolg van de ruime bestedingen van een aantal van hun voorgangers in de eerste en tweede eeuw, die de veroveringsoorlogen hadden voortgezet. Trajanus (98-117) is alom geprezen als een grote veroveraar, omdat hij het rijk tot over de Donau uitbreidde en Dacië (nu Oost-Hongarije en Roemenië) als nieuwe provincie aan het rijk toevoegde, maar die uitbreidingen hebben uiteindelijk wel hun tol geëist. De keizers van de derde eeuw moesten grote legers op de been brengen om het uit zijn krachten gegroeide rijk te kunnen verdedigen tegen de toenemende druk van vijandelijke volkeren aan de grenzen. Omdat als gevolg van de teruggelopen economie het geld om soldaten te rekruteren ontbrak, zocht de overheid de oplossing in het verhogen van de belastingen, wat leidde tot protesten van de bevolking en massale belastingontduiking. De soldaten hadden daar geen boodschap aan en bleven om meer soldij vragen. Veel keizers waren bereid hun eisen in te willigen, uit angst dat ze anders een generaal zouden steunen die in die woelige tijd een greep naar de macht wilde doen. Intussen werden de grenzen met enige regelmaat doorbroken.

In het laatste kwart van de derde eeuw was er weliswaar sprake van een kleine opleving, maar de omvangrijke militaire en fiscale hervormingen van Diocletianus en Constantijn hebben de stabiliteit van de eerste twee eeuwen niet teruggebracht. Het rijk kwam in een neerwaartse spiraal terecht, langzaam maar onmiskenbaar, een tendens die zich nu ook in Amerika lijkt af te tekenen. Dat land heeft eveneens te maken met grote politieke, sociale en economische problemen. De corruptie is nog veel groter dan ooit in het Romeinse rijk, de schuldenlast is onvergelijkbaar hoog in vergelijking met de financiële tekorten waarmee de Romeinen werden geconfronteerd. Nog bedreigender is het internationale terrorisme dat in de plaats is gekomen van de druk van vreemde volkeren op de grenzen van het oude rijk, omdat criminele staten en religieuze zeloten over vernietigingswapens beschikken die de economie volledig kunnen ontregelen Tot nu toe hebben de Amerikanen hun politieke, militaire en economische belangen overal in de wereld kunnen verdedigen, maar de vraag dringt zich op: voor hoe lang nog? De schuldenproblematiek kan niet eindeloos vooruitgeschoven worden en de groeiende ongelijkheid in Amerika tussen de grote 'werkende klasse', wier inkomen nauwelijks is toegenomen, en een kleine, extreem rijke groep aan de top, die weinig belasting betaalt, baart grote zorgen.

Daar komt bij dat het voor Amerika, net als voor de Romeinen in de vierde eeuw, almaar moeilijker wordt om de leidende rol in het internationale krachtenveld te blijven vervullen, omdat het tekort aan soldaten nijpend is geworden. De animo van Amerikaanse jongeren voor een carrière in het leger neemt snel af. Om een indicatie te geven: In 1956 vervulden nog vierhonderdvijftig van de ruim zevenhonderd afgestudeerden van Princeton University hun dienstplicht, in 2004 nog maar acht van de elfhonderd. Nu al is het gebruik om vreemdelingen die dienst willen nemen het Amerikaanse staatsburgerschap te verlenen, en om specialistische taken uit te besteden aan buitenstaanders. In het Romeinse rijk had zich eenzelfde situatie voorgedaan. Krijgsdienst was in de vierde eeuw impopulair geworden, jongens die vroeger een militaire carrière ambieerden kozen nu voor het openbaar bestuur. Sommigen hadden een zo grote afkeer van het leger dat ze hun duimen afhakten of zich op een andere manier verminkten in de hoop bij de dienstkeuring te worden weggestuurd. Voor de barbaren had het leger wel aantrekkelijke kanten. Ze hoopten via een carrière in het leger te stijgen op de maatschappelijke ladder. Het percentage barbaren groeide in de vierde en de vijfde eeuw gestaag en we kunnen gerust aannemen dat ze een sterk stempel op de mentaliteit in het leger hebben gedrukt. De oude Romeinse deugden verdwenen uit beeld om plaats te maken voor Germaanse opvattingen over discipline en krijgshaftigheid. Uiteindelijk leidde de combinatie van economische, militaire en politieke problemen tot de ondergang van het Romeinse rijk.

Niet iedereen is het erover eens dat Amerika aan de vooravond staat van een gelijksoortige teruggang. Sommige analytici zijn van mening dat het land sterk genoeg is om de problemen het hoofd te bieden. De moeilijkheden in Irak en Afghanistan worden niet gezien als het begin van het einde, maar als een nieuwe uitdaging, de prijs voor het wereldleiderschap. Amerika is de supermacht in de wereld, zoals er sinds Rome geen meer is geweest, en daarin zal geen verandering komen. Deze 'triomfalisten' zijn vooral te vinden in kringen rond president George W. Bush, die ooit opmerkte dat het voor andere volkeren onbegonnen werk is om de wapenwedloop met Amerika vol te houden omdat Amerika altijd een wereldmacht zal blijven. Maar er zijn ook de 'declinisten' die vinden dat de Amerikanen vooral het laatste decennium verplichtingen zijn aangegaan die de capaciteiten van het land verre overstijgen en op termijn tot grote problemen zullen leiden.

De vraag of het de Verenigde Staten in de toekomst zal vergaan als het Romeinse rijk zal de komende jaren veelvuldig worden gesteld. Het zal niet gemakkelijk zijn daar een bevredigend antwoord op te geven omdat de verschillen tussen het *imperium Romanum* en het *imperium Americanum* minstens zo significant zijn als de overeenkomsten. Allereerst de tijdsduur. Het verval en de ondergang van het Romeinse rijk strekten zich uit over een periode van meer dan twee eeuwen. Toen de neergang in de vijfde eeuw zijn voltooiing kreeg met de invallen van de Germanen en de afzetting in 476 van de laatste Romeinse keizer Romulus Augustulus, had Rome al een lange geschiedenis van twaalf eeuwen achter de rug. De Verenigde Staten hebben onlangs pas de 231ste onafhankelijkheidsdag gevierd. En dan is er de verwachting dat de Amerikanen heel anders op onverwachte politieke, militaire en economische verwikkelingen zullen reageren als de Romeinen. De oude Romeinen hadden altijd een vrij statisch wereldbeeld gehad, ze waren zo zelfingenomen dat het ook toen hun rijk duidelijk tekenen van verzwakking vertoonde niet bij hen opkwam hun opvattingen over zichzelf en over anderen bij te stellen. Toen zich in de derde eeuw grote tegenslagen aandienden volhardden ze in de politiek die ze altijd hadden gevoerd. Ze dachten niet aan maatschappelijke hervormingen, hadden geen antwoord op de aantrekkingskracht van het christendom, slaagden er niet in hun economie te hervormen en bleven de volkeren aan de overzijde van de rijksgrenzen beschouwen als onbeschaafde barbaren die wel uitgeschakeld zouden worden.

Amerika heeft vanaf de stichting in 1776 al meer veranderingen te verwerken gekregen dan Rome in twaalf eeuwen. De afschaffing van de slavernij en de overgang van een agrarische naar een hoog technologische economie zijn niet zonder slag of stoot verlopen, maar hebben wel geleid tot een open samenleving die niet de ogen zal sluiten voor de eerdergenoemde interne en externe problemen. President George W. Bush mag dan met zijn militaire en economische politiek de grenzen van wat een rijk kan verdragen hebben opgezocht, daarmee is niet gezegd dat het Romeinse patroon zich zal herhalen. Er is voldoende veerkracht in de Amerikaanse maatschappij om te voorkomen dat zich in Amerika Romeinse toestanden zullen voordoen. Als toekomstige regeringsleiders zich er bewust van zijn dat ze geen Romeinen zijn maar Amerikanen, met een open blik naar de eigen samenleving en de buitenwereld, is het zeker dat hun land het lot van Rome bespaard zal blijven. Mochten zij de les van Rome echter negeren en zich te buiten gaan aan zelfoverschatting, dan zou het wel eens raar kunnen lopen.

Verder lezen

Ik vermeld hier alleen boeken en artikelen die ik heb gebruikt of die het onderwerp in een bredere context plaatsen.

Zonder goden geen spelen

Eerder verschenen als feuilleton in NRC *Handelsblad* tijdens de Olympische Spelen in Athene in augustus 2004

M.I. Finley en H.W. Pleket, *Olympische Spelen in de Oudheid*, Amsterdam 2004

A. Marandi, *Olympie. Jeux Olympiques*, Athene 1999

W.J. Raschke (red.), *The Archaeology of the Olympics*, Wisconsin 1988

U. Sinn, *Das Antike Olympia. Götter, Spiel und Kunst*, München 2004

J. Swaddling, *The Ancient Olympic Games*, Londen 2004

D. Young, *A Brief History of the Olympic Games*, Oxford 2004

De kracht van Asclepius

Eerder verschenen in *De oudheid van opzij* (1997)

A. Charitonidou, *Epidaurus. The Sanctuary of Asclepios and the Museum*, Athene 1978

E.J. & L. Edelstein, *Asclepius: A Collection and Interpretation of the Testimonies*, Deel 1, Baltimore 1945

H.M. Koelbing, *Arzt und Patient in der Antiken Welt*, Zürich & München 1977

J. Schouten, *The Rod and Serpent of Asklepios*, Amsterdam & Londen 1967

Democratie en kritiek

R.K. Balot, *Greek Political Thought*, Londen 2006

J. Blok, 'Oude en nieuwe burgers', *Lampas* 36 (2003), p. 5-26

S. Goldhill, *Love, Sex & Tragedy. Why Classics Matters*, Londen 2005

F. Naerebout, *Griekse democratie*, Amsterdam 2005

J. Ober, *Mass and Elite in Democratic Athens. Rhetoric. Ideology, and the Power of the People*, Princeton 1989

P.J. Rhodes (red.), *Athenian Democracy*, Edinburgh 2004

Het Lenormant-reliëf en het Triremeraadsel

Over de uitvinding van de trireme in Corinthe wordt gesproken door Thucydides in 1,13; de slag bij Salamis wordt beschreven door Herodotus in het achtste boek van zijn *Historiën*. Over de snelheid van de triremen schrijft Thucydides in 3,48; over de positie van de *thalamioi* en de *zugioi* schrijft Aristophanes, *Kikkers* 1074 e.v.

Het standaardwerk over de trireme is J.S. Morrison, J.E. Coates en N.B. Rankov, *The Athenian Trireme. The History and Reconstruction of an Ancient Greek Warship*, Cambridge 2000 (Second edition). Een kort overzicht van de belangrijkste theorieën over de trireme wordt gegeven in F. Meijer, *De Trireme. Klassiek Grieks oorlogsschip opnieuw te water*, Amsterdam 1995. In beide boeken worden de belangrijkste iconografische en literaire bronnen van nader commentaar voorzien. L. Th. Lehmann, schrijft over het experiment van Napoleon III in: 'A trireme's tragedy', *International Journal of Nautical Archaeology* 11 (1982), p. 145-151

'Athene uitleveren aan de Perzen? Dan liever de dood'

Eerder verschenen in *Spiegel Historiael* 38 (2003), p. 188-195

Aeschylus, *De Perzen*, Herodotus, boek 7 en 8

Thucydides 1,135-138

Plutarchus, *Leven van Themistocles*.

J. Papastravou, *Themistocles*, Darmstadt 1978

Nero en het Kanaal van Corinthe

H. Sonnabend, *Wie Augustus die Feuerwehr erfand. Grosze Errungenschaften der Antike*, Düsseldorf/Zürich 2002, p. 38-47 over kanalen in de oudheid.

K. Tsakos e.a., *Corinth Canal*, Athene 2003

Twee slaven, twee carrières

Eerder (gedeeltelijk) verschenen in *De oudheid van opzij* (1997)

M.I. Finley. *Ancient Slavery, Modern Ideology*, Londen 1980

A. Fuks, *Social Conflict in Ancient Greece*, Jeruzalem-Leiden 1984

F.J. Meijer, 'De vergeten slavenopstand van Drimacus van Chios', *Hermeneus* 58 (1986), p. 182-190

Het idee voor de overpeinzing over de slavenhandelaar heb ik opgedaan in M.I. Finley, 'Aulos Kapreilios Timotheos, slave trader', *Aspects of Antiquity. Discoveries and Controversies*, Londen 1972, p. 154-166

De inscriptie is gepubliceerd door J. Roger in: *Revue archéologique*, 6st. series, volume 24 (1945), p. 49-51

Herodotus of Pausanias?

H.J. van Dam & H. Smolenaars (red.), *Klassiek Toerisme. Reizen met Odysseus, Aeneas en Hannibal*, Amsterdam 2001

C. Dewald & J. Marincola, *The Cambridge Companion to Herodotus*, Cambridge 2006

H. van Dolen, 'De schaduw van Herodotus', *Hermeneus* 88 (2006), p. 328-334

R. Kapuscinski, *Reizen met Herodotos*, Amsterdam 2005

Pausanias, *Beschreibung Griechenlands. Ein Reise- und Kulturführer aus der Antike*. Auswahl, Übersetzung aus dem Altgriechischen und Nachwort von Jacques Langer, Zürich 1998

Een nieuw volk, een nieuw geluid

D.K. Buell, *Why this New Race. Ethnic Reasoning in Early Christianity*, New York 2005

R.J. Lane Fox, *Pagans and Christians in the Mediterranean World*

from the Second Century AD *to the Conversion of Constantine*, Londen 1986
F. Meijer, *Vreemd Volk. Integratie en discriminatie in de Griekse en Romeinse wereld*, Amsterdam 2007

Martelaren uit vrije wil

M. Gaddis, *There is no Crime for Those who Have Christ. Religious Violence in the Christian Roman Empire*, Berkeley 2005
I. Manji, *Het Moslimdilemma*, Amsterdam 2005
I. Manji, 'Glasgow en Londen: Het is de religie', *de Volkskrant* van 20 juli 2007
F. Meijer, *Vreemd Volk. Integratie en discriminatie in de Griekse en Romeinse wereld*, Amsterdam 2007
E. Meijering, *Geschiedenis van het vroege christendom. Van de jood Jezus van Nazareth tot de Romeinse keizer Constantijn*, Amsterdam 2004

De kardinaal, de kerkvader en fanatieke supporters

Eerder verschenen in NRC *Handelsblad* van 11 april 2004

G. Horsmann, *Die Wagenlenker der Römischen Kaiserzeit*, Stuttgart 1998
F. Meijer, *Wagenrennen. Spektakelshows in Rome en Constantinopel*, Amsterdam 2004
D.S. Potter en D.J. Mattingly (red.), *Life, Death and Entertainment in the Roman Empire*, Oxford & New York 2004

De les van Jugurtha

A. Goldsworthy, *In the Name of Rome. The Men who won the Roman Empire*, Londen 2003
W.V. Harris, War and Imperialism in Republican Rome 327-70 B.C., *Oxford 1979*
F. Meijer, *Macht zonder grenzen. Rome en zijn imperium*, Amsterdam 2005
D. Shotter, *Rome and her Empire*, Londen 2003

Onpeilbaar heimwee

Ovidius *Tristia* is in 1998 verschenen in een prachtige Nederlandse vertaling van Wiebe Hogendoorn onder de titel *Sombere Gedichten*. Hogendoorn heeft er ook een zeer gedegen inleiding bij geschreven. Amsterdam 1998

N. Ascherson, *Black Sea*, Londen 1995

P. Gerbrandy, *Het feest van Saturnus. De literatuur van het heidense Rome*, Amsterdam 2007

Lofrede of vleierij?

Eerder (gedeeltelijk) verschenen in *De oudheid van opzij* (1997)

Plinius, *Lofrede op keizer Trajanus. Panegyricus*, vertaald, ingeleid en van aantekeningen voorzien door F.J.A.M. Meijer en D. den Hengst, Baarn 1990

Betaalde liefde

Eerder verschenen in *De Oudheid van opzij* (1997)

A. Butterworth & R. Laurence, *Pompeii. The living City*, New York 2005

L. Jacobelli, *Le Pitture erotiche delle terme suburbane di Pompei*, Rome 1995

P. Zanker, *Pompeii: Public and Private Life*, Cambridge (Mass.) 1999

Terug in het Colosseum

M. Junkelmann, *Das Spiel mit dem Tod. So kämpften Roms Gladiatoren*, Mainz am Rhein 2000

F. Meijer, *Gladiatoren. Volksvermaak in het Colosseum*, Amsterdam 2003

Een waardige oude dag?

De meeste teksten over de ouderdom zijn te vinden in de voortreffelijke studie T.G. Parkin, *Old Age in the Roman World. A Cultural and Social History*, Baltimore & Londen 2003.

A.J.L. van Hooff, *From Autothanasia to Suicide*, Londen 1990

P. Jones, *Ancient & Modern*, Londen 2002

Rijke Romeinen

J.H. d'Arms, *Commerce and Social Standing in Ancient Rome*, Cambridge (Mass.) 1981

F. Dupont, *Daily Life in Ancient Rome*, Oxford 1994

K.-W. Weeber, *Luxus im Alten Rom*, Darmstadt 2003. Weeber geeft op p. 166-167 een lijst met de vijfentwintig rijkste Romeinen (op de keizers na).

Hoge nood

Eerder verschenen in *Oud Nieuws* (2001)

A. Scobie, 'Slums, sanitation and mortality, *Klio* 68 (1988), p. 399-433

J.E. Stambough, *The Ancient Roman City*, Baltimore & Londen 1988

Urinatores: waaghalzen of zielenpoten?

Eerder (gedeeltelijk) verschenen in *De oudheid van opzij* (1997)

F.J. Frost. 'Scyllias: Diving in antiquity', *Greece and Rome* 15 (1968) p. 180-185

P.A. Gianfrotta-P. Pomey, *Archeologia Subacquea*, Milaan 1980

H. de Monfreid, *Les secrets de la Mer Rouge*, Parijs 1931

J.P. Oleson, 'A physiological basis for the term *urinator*, "diver"', *American Journal of Philology* 97 (1976), p. 22-29

De verloren schepen van Nemi

Eerder verschenen in *De oudheid van opzij* (1997)

L. Casson, *Ships and Seafaring in Ancient Times*, Londen 1994

G. Ucelli, *Le navi di Nemi*, Rome 1950

Nieuwe Romeinen

B. Barber, *Het rijk van de angst. Oorlog, terrorisme en democratie*, Amsterdam 2003

M.S. Cyrino, '*Gladiator* and contemporary American Society', M.M. Winkler (red.), *Gladiator. Film and History*, Oxford 2004, p. 124-149

S. Goldhill, *Love, Sex & Tragedy. Why Classics matters*, Londen 2004
Ch. Maier, *Among Empires*, Cambridge (Mass.) 2006
C. Murphy, *Are we Rome? The Fall of an Empire and the Fate of America*, Boston-New York 2007
B.W. Painter jr. *Mussolini's Rome. Rebuilding the Eternal City*, New York 2005

Register

Sommige namen, zoals Grieken(land), Athene(rs), Italië(rs), en Rome(inen) komen zo vaak voor dat ik ze hier niet heb opgenomen. Ook namen van personen die eenmalig voorkomen in een citaat staan niet in dit register. De meeste namen zijn in hun gelatiniseerde vorm opgenomen, alleen van minder bekende personen en plaatsen zijn hun oorspronkelijke Griekse benamingen weergegeven.